人文的、あまりに人文的

古代ローマからマルチバースまで
ブックガイド20講＋α

山本貴光
吉川浩満

人文的、あまりに人文的

古代ローマからマルチバースまでブックガイド20講＋α

本書は、対談によるブックガイドです。

「人文的、あまりに人文的」という書名にあるように、もっぱら扱うのは「人文書」。例えば、ちょっと大きめの書店に行くと、人文書コーナーがあって、西洋哲学や東洋思想、批評をはじめ、「人文学」に関わるいろいろな本が並んでいたりします。とはいうものの、「人文学」にせよ「人文書」にせよ、わかるようなわからないような言葉です。

「人文」とは「人の文（あや）」のこと。「人文学」といえば、人間や人間が生み出すものを扱う学問領域を指します（詳しくは本文でお話ししましょう）。この広さが捉えがたさの一因でもありそうです。

というのは、神経科学や認知科学など、人間を対象とするいろいろな学問が発展してきた今日でも、私たちの意識や脳をはじめとする働きは依然として謎に包まれています。あるいは人工知能のように、人間の知能の働きをお手本としてコンピュータでさまざまな仕事をさせる試みもありますが、言うところの知能とはなんなのか、まだ解明の途上にあります。感情や記憶といった精神の働きについても同様です。

そんなふうに、おおいなる謎であり続ける人間やその創造物に、さまざまな角度から迫ろうというのが人文学と言ってもよいかもしれません。そして、人文書とは、そうした探求の成果や試みを報告したり検討したりする本を指すのでした。

本書では、章ごとに注目したい人文書を二冊ずつ取り上げて検討しています。ただし、目次をご覧になるとおわかりのように、自然科学に関わる本も入っています。人間が、この世界や宇宙をどんなふうに認識しているか、ということもまた、人間の営み、つまりは人文学の対象であると考えてのことです。この本では、そんなふうにして、人文という言葉を広く捉えています。

詳しくは「あとがき」で述べますが、ここにまとめた対談は、もとは東浩紀さんが編集長を務めるメールマガジン「ゲンロンβ」（ゲンロン）に連載したものです。連載を始めるにあたって対談形式を選んだのには、いくつかの理由がありました。

なかでも最も重要なのは、読み心地です。対話であれば、読む人もおしゃべりに耳を傾けたり、参加したりするような気分で、ちょっと気楽に楽しみやすいと思うのです。緻密に構成された書き言葉による書評の魅力や効能とは別に、話し言葉には少し余白があって、対話する人同士の連想が働く余地もあったりするのですね。

また、どの話題についても、基礎的なことから話しあっていますので、予備知識がなくとも読んでいただけると思います。ここに登場する本に興味が湧いたり、読んでみたいと思ってもらえたりしたら幸いです。

では、前口上はこのくらいにして、「人文的、あまりに人文的」な対談ブックガイドへどうぞ。

1

吉川　最初にご紹介したいのは、カナダの哲学者ヒースの本と、アメリカの認知心理学者スタノヴィッチの本。

山本　どちらも人間観を更新させてくれる本だね。初回にふさわしい。まずは比較的大きな状況を扱っているヒースの本からいこうか。

吉川　この数年間、ポピュリズムとか反知性主義とかヘイトスピーチとか、社会学者の宮台真司さん言うところの「感情の劣化」が問題になっているよね。ヒースも同じ問題意識をもっていて、これを直感や感情の偏重傾向として捉えています。もっと言っちゃえば、正気を失っている。こうした流れのなかで、いかにして知性と合理性を働かせるか、つまり正気を取り戻すか。これが『啓蒙思想2・0』のモチーフになっている。非常に今日的なテーマです。

山本　宮台さんの言う「感情の劣化」とは、何が本当のことかといった事実や真実の探究よりも、自分の感情を発露してすっきりするのを優先する態度のこと。感情制御の劣化と言ってもいいかもしれない。

クレイジーな時代？

ジョセフ・ヒース
啓蒙思想2・0
——政治・経済・生活を正気に戻すために
栗原百代訳、NTT出版、二〇一四年

山本　それにしてもアメリカの大統領選ではトランプ旋風もすごい。この対談をしている二〇一六年四月下旬には、ニューヨーク州の共和党予備選でも圧勝とか。

吉川　うん。ヒースの本はもちろんトランプ旋風の前に出ているわけだけど、この本で描かれているアメリカ政治の惨状ったらないね。当然、日本も例外ではないし、ヒースの母国であるカナダですら、けっこうひどいわけだけど。ヒースの指摘でおもしろかったのが、アメリカ政治の対立軸はもはや共和党VS民主党とか、小さな政府VS大きな政府とか、ましてや右VS左でもなく、もはやクレイジーVS非クレイジーという領域に突入しつつあるというもの。しかもクレイジーのほうが優勢だと。これは今回のトランプ旋風で決定的になってしまった。

山本　「クレイジー（crazy）」は、人を夢中にさせる、熱狂させ無分別にさせるというわけだけれど、厄介なことに得てしてクレイジーなほうは主張が単純で分かりやすいんだよね。熱狂させられる側からいえば、「そうだ、そうだ！」とか「自分もそう思ってたぞ！」とノリやすい。

　ところで、こうした「感情の劣化」状況は、いつ頃から顕著になってきたんだろう。「劣化」という言葉を素直に受け取ると、これは劣化していなかった状態から変化したという含意もあるよね。装置さえあれば誰もが発信できる環境になって、互いの耳目に入りやすくなっただけかな。それとも、あるときを境に「劣化」が生じたのか。

吉川　この本では細かい時代診断がなされているわけではないけれど、ヒース自身は、たとえばアメリカ政治が見るからにおかしくなってきたのは今世紀に入ってからだと言っている。でも、もう少しタイムスケールを広く取ることもできると思う。本書には、資本主義経済が強いるスピードがわれわれの直情的傾向を後押ししているという指摘もある。そう考えると、資本主義の高度消費社会化と軌を一にしていると言ってもいいかもね。

山本　企業は資本の増大を至上目的として、次から次へとめまぐるしい速さで新しい商品やサーヴィスを生み出し、人びとの有限の時間と注意を惹くために広告を打つ。要するにその気にさせる、欲しいと感じさせるために感情に訴えて欲望を喚起しようとする。

こうした環境は、人びとの感情のあり方にどんな影響をもたらしているのか。これはこれでとても興味のある問題だから、また別の回で検討してみたいね。
いずれにしても、こうした仕組みのなかでは、人間のあいだにある多様な関係のうち、経済的関係が人の価値をはかる主要なモノサシだと考える人が出てきても不思議ではない。短期的な経済合理性の観点からものごとを判断しようとして、中長期的には不合理に陥ってしまうということもある。それこそダニエル・カーネマンのファスト&スロー[1]じゃないけど、競争や効率化を口実としてファスト（直感的）な判断のほうがスロー（論理的）な判断よりも優先されがちになったりもする。

吉川 うん。ただ、さらに長い人類史的なタイムスケールで見ると、もともと人間の思考や行動には直感や感情が大きな役割をはたしているという事実もある。これは二〇世紀後半以降の認知科学や行動経済学、社会心理学などが実証してきたことだよね。スタノヴィッチの『心は遺伝子の論理で決まるのか』は、そのあたりについてさまざまな実験や観察をもとに詳しく教えてくれます。

叛逆かパターナリズムか

キース・E・スタノヴィッチ
心は遺伝子の論理で決まるのか
――二重過程モデルでみるヒトの合理性
椋田直子訳、みすず書房、二〇〇八年

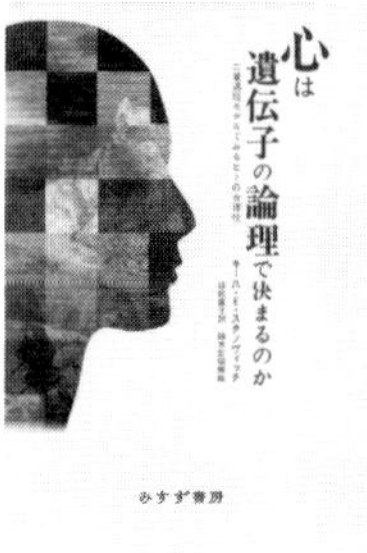

山本　この本の原題は「ロボットの叛逆」（*The Robot's Rebellion*）。といっても、高度なＡＩ（人工知能）を搭載したロボットが人間に叛逆するというお話ではない。ここでいうロボットとは、ほかならぬわれわれ人間のこと。

吉川　ロボットというのは、リチャード・ドーキンスの利己的遺伝子説を承けた表現だね。生物の個体というのは、遺伝子の複製・増殖という唯一の目的に奉仕する乗り物＝ロボットであり、もちろん人間の個体も例外ではない。ただ、人間の場合、進化の過程で高度な思考能力を獲得した結果、幸か不幸か、ある程度の自律性をもったロボットになった。だから同じロボットでも、アナバチと人間ではかなり違う。スタノヴィッチはその違いを、ショートリーシュ型ロボット（短い引き綱のロボット）とロングリーシュ型ロボット（長い引き綱のロボット）と表現しています。人間はロングリーシュ型ロボット。

山本　副題にある「二重過程モデル」というのは、認知科学における有力な学説です。人間の思考では、ファストとスローのふたつのメカニズムが二重に働くという見方。スタノヴィッチの本では、カーネマンのいう「ファスト思考」が「システム1」、「スロー思考」が「システム2」と呼ばれている。おおざっぱにいって、前者が直感や感情、後者が論理や知性ということになるんだけど、これらが並んでいるんじゃなくて重なっているというところがポイントだよね。人間には直感と論理というふたつの思考システムがあるといっても、これらを自在に切り換えられるようにはなっていない。

吉川　そう。人間の思考は、ファストとスローが別々にあるんじゃなくて、ファスト思考という基礎の上にスロー思考が重なっているような仕組みになっている。ここでいうファスト思考は進化的に古い起源をもつ「動物的」な思考、つまり遺伝子の複製・増殖という目的に最適化された思考ね。それにたいしてスロー思考は、脳容量増加にともなって新たに追加された「人間的」な思考、つまり遺伝子の命令から相対的に独立した個体の思考で、これが人間に特有の論理的・合理的な判断を可能にしている。でも、これではまるで旧式の業務用ＯＳの上に仮想マシンとして無理やり最新の汎用ＯＳをインストールしたようなもの。人間的なスロー思考の羽を広げようとしても、より基礎的な層にあるファスト思考の制約を受けてうまくいかないことも多い。そういうわけで、われわれは論理的・合理的に考えているつもりでも、かなりの部分、直感や感情に引っぱられている。

山本 しかもそうなっていることを自覚しづらい。それを実証的に明らかにしたのが、スタノヴィッチやカーネマンらによるヒューリスティクスとバイアスの研究。ヒューリスティクスというのは、問題解決に際して時間や労力をかけずにおおよその解を得る手続きのこと。経験や習慣にもとづいた直感的判断だね。ヒューリスティクスは省資源で便利な思考法だけど、でも、条件次第では一定の偏りを示すことも知られている。われわれの思考に系統的な誤りをもたらすこの偏りは「(認知)バイアス」と呼ばれます。われわれ人間は論理的に考えようとしても、認知バイアスによってことあるごとに直感的つまり「動物的」な思考が介入してくるように出来ている。

吉川 そこでスタノヴィッチが提唱するのが「ロボットの叛逆」というプログラム。前提としては、人間が生きていくためには当然ながらファストもスローもともに大事。ヒューリスティクスによる直感的判断ができなければ、まともに社会生活も送れないわけで。でも、スタノヴィッチがいうには、少なくとも重要な意思決定の場面においては論理的・合理的な判断をつかさどるスロー思考が主導権を握るようにしなければならない、と。たしかに人生の重大な局面で決断を下したり、あるいは社会制度を設計したりするときには論理的・合理的な判断ができたほうがいい。というか、できないと困ったことになる。そういうわけで、遺伝子的・動物的な生得的性向にたいして、ロボットなりに叛逆しなければならないという主張が出てくる。われわれはせっかくロングリーシュ型のロボットであるのだから、遺伝子の要請から完全に自由になることはできないにせよ、なんとかして少しでも個体や社会の独立を達成しようという。シンプルでわかりやすいけれど、けっこう主知主義的なスローガンではある。

山本 それができるなら苦労しないよという気がしないでもない。というか、とても難しい。それにたいしてヒースの「啓蒙思想2・0」のスローガンは、スタノヴィッチのアジテーションを受け継いで、それをさらにアップデートしたようなところがある。そういうバイアスも含めた人間像から出発して、よりましな状態を目指そうというわけだ。

吉川 認知革命以降の科学的知見を採り入れて、それを前提として社会思想を更新しようというわけだから。簡単にいえば、自由・平等・友愛という啓蒙主義の理想を、かつてのような理性中心主義によってではなく、これまで見てきたような科学的な人間本性論にもとづいて再構築しようという野心的なプロジェクト。「啓蒙思想2・0」は、科学的な人間本性論をもたなかったかつての啓蒙思想(1・0)のアップグレード版として構想されている。

山本 理想としては啓蒙と教育が人びとのあいだにゆきわたって、みながスロー思考で理性によってものを考え行動すれば、認知バイアスや感情や思い込みを退けていろいろなことがもっとうまくゆくかもしれない。でも、実際には人間だもの、そういうわけにはゆかない。そこでスロー思考を必ずしもうまく働かせられない人間本性を前提として、これを土台に社会制度を構築しようというのがヒースの立場。

これはスタノヴィッチの言う「叛逆」というよりは、リバタリアン・パターナリズムのようなものに近くなる。つまり、自由を尊重する立場（リバタリアン）と、親が子を教え導く立場（パターナリズム）という一見すると相容れない立場を両立させようという発想。もう少し具体的には、行動経済学者のリチャード・セイラーたちが唱えるような、認知バイアスが意思決定主体の不利益をもたらさないように制度設計をするという考え方です。平たく言うと「無理強いはしませんが、お手伝いします」というやり方だよね。

吉川　かつて東浩紀さんが「情報自由論」[2]や『自由を考える』（NHKブックス）で指摘した環境管理型権力の善用というか。それに、そもそもこの本は近年の『一般意志2・0』（講談社文庫）とも相当部分、関心が重なっている。「2・0」というタイトルからして被っているし。

山本　いつもそうだけど、早すぎるくらい。そう考えると、東さんの指摘の早さにあらためて驚くんだけど。

吉川　まあ、そんな感じで、この「感情の劣化」的状況にたいして、スタノヴィッチは「ロボットの叛逆」への呼びかけによって、ヒースは「啓蒙思想2・0」の立ち上げによって、それぞれ対応しようとしている。叛逆かパターナリズムかという、なかなか難しい選択肢ではあるんだけどね。でも、われわれの人間本性を考えれば、ここからしか物事は考えられないという気もする。そんな二冊。

山本　それにこの二冊は、認知革命以降の科学的成果を採り入れながら、いかにしてそこから新たに人文（ヒトのアヤ）的思考を立ち上げるかという良質なモデルにもなっているよね。その意味でも必読です。

註

1　ダニエル・カーネマン『ファスト&スロー　あなたの意思はどのように決まるか？』（上下、村井章子訳、ハヤカワ文庫）　人が判断エラーに陥るパターンや理由を行動経済学・認知心理学的実験で徹底解明。著者は心理学者にしてノーベル経済学賞を受賞。

2　「情報自由論：2002-2003/2005」「波状言論」サイトで公開。http://www.hajou.org/infoliberalism/　『情報環境論集　東浩紀コレクションS』（東浩紀、講談社）には「情報自由論　2002-2003」を収める。

2

「好奇心」の効果

イアン・レズリー
子どもは40000回質問する
――あなたの人生を創る「好奇心」の驚くべき力
須川綾子訳、光文社、二〇一六年

吉川　二回目の今回は、ちょっと搦め手からというか、普通ならあんまり人文書というかたちでは紹介されないような、いまや誰も読んでないんじゃないかというような、そういう作品を取り上げましょうか。

山本　「人間に関することで私と無縁なことはない」(テレンティウス＝セネカ)じゃないけれど、あらゆる本は人文書として(も)読むことができる、なんていったらあまりに

あなたの人生を創る
「好奇心」の驚くべき力
子どもは
CURIOUS
40000回
質問する
イアン・レズリー
須川綾子[訳]
光文社

人文的かな。

吉川　今回、山本くんから真っ先に提案されたのは、イアン・レズリー『子どもは40000回質問する――あなたの人生を創る「好奇心」の驚くべき力』。ちょっと意表を突かれた選書だったんだけど。

山本　この本、書名や帯だけ見ると自己啓発書やビジネス書のようにも見えるんだけど、原題は*Curious*といって、ズバリ「好奇心」がテーマ。好奇心というものが、どう育まれたり機能するか、さらにはどんな影響をもたらすかということを、ノンフィクション作家のイアン・レズリー氏が書いた本です。

「好奇心」って言葉だけ聞くと、あまり面白くもない、それこそ好奇心をそそられないテーマだと思われるかもしれない。でもじつは人文学の歴史やこれからを考えるとき、好奇心というのはとても重要なものなんですね。たとえば古代ギリシアのプラトンとアリストテレスは師弟そろって、哲学や探究というものは「驚き」からはじまると言っている。ここでいう驚きとはつまり、好奇心のこと。もちろん驚いただけで終わっていたら、なにもはじまらないわけだけれども。

吉川　ビックリするだけならただの反射だもんね。

山本　そうそう。この場合の驚きというのは、なにかを「知りたい」という動機をもたらすものなんだよね。「なんだろう、これは?」という気持ちを出発点として探究がはじまる。別の言い方をすれば、「そんなの当たり前じゃん」と当然視しているものについては探究はじまりにくい。現代に近いところではレイチェル・カーソンが「センス・オブ・ワンダー」と言ったりしているのも同様で、自然や対象について驚き目を瞠る感覚。

要するに、驚きがあるから探究がはじまると彼らは言っている。この意味はときどき思い出してみたいというか、受け止めなおしたいというか、人文学の現状や未来を考えるうえでも意味があるだろうと思う。それで、じつは「好奇心」については、関連書が出るとチェックするようにしてるんだよね。

吉川 ほう。じゃあいつか、好奇心について山本くんが書いた本が出るわけだ。

山本 オファーが来たら……。いやいや、そういう前振りじゃないから（笑）。それはそうと、この本に戻ると、最初はちょっとうさんくさい本なのかなとも思ったんだよね。帯を見ると、結構センセーショナルに「好奇心格差が経済格差を生む！」なんて煽っているし。

吉川 今風だね。

山本 だけど読んでみたらそんなことはなくて、自分の第一印象に騙されなくてよかった。大事なことがいくつも指摘されています。たとえば、好奇心は放っておくとしぼんでいってしまうものだけれど、どうしたら維持したり育んでいけるかという問題について、さまざまな角度から検討を加えている。

吉川 子どもの頃は親を困らせるぐらい質問攻めにしていたのが、年とともにだんだん疑問

山本 を持たなくなったりするとかね。で、どうしたらいいのかな。

好奇心が働く条件がある。一方ではまったく手がかりがないことについては興味が湧きようもない。他方では複雑すぎたりして、あまりに手に負えないものにも興味は湧きづらい。

吉川 ほどほどに知ってるのがいい。

山本 そう。なにかについてある程度知っているけど、自分がまだ知らないこともある、と知識の空白を感じている状態。ただし、自分の無知に気づかないとそもそも探究したくならない。

吉川 「私はなにを知っているか?」[2]（モンテーニュ）の心だね。

山本 考えてみれば、小説や映画やゲームなんかも、ほとんどこの仕組みで成り立っている。少しずつ場面を見せるのでわかることが増える。でも同時にわからないことも増える。たとえば画面に男が現れて、どこかに向かって歩いている。でもどこに? 見ていると銀行に入っていく。でも、なにをしに? 入り口にいた女性に目配せしたのはどういうこと? という具合。

吉川 マンガの連載ものとか連続ドラマの終わり方はその典型だね。「どうなってしまうのか!? 次回を乞うご期待!」というやつだ。

山本 つまり、わかるけどわからないという状態が、知りたい気持ちをそそるんだね。

もうひとつ重要なのは、ではなにかがわからない状態をどうやって維持するか、ということ。そういう意味では、現代はわからない状態を維持しづらいかもしれない。検索すればすぐにわかることも多いから。でも、ここにはちょっとした罠がある。知識の場合、求めているものがたやすく手に入ると、好奇心もそこで途絶えてしまうということもある。

吉川　すぐわかる代わりにすぐ忘れる。

山本　そう、だからもし物事を深く探究したい場合には、意識してわからない状態を維持する必要もある。わからないから考え続ける、考え続けるからいろいろな角度から吟味されたり、さまざまなものと結びつけられたりして、長期記憶に刻まれて頭に入る。
　レズリー氏はこれを「パズルとミステリー」という印象的な対比で表現している。パズルには明快な答えがあって、わかりやすい。対してミステリーは明快な答えがなくて、複雑に絡み合った要因を解きほぐす必要がある。だから人を考え込ませる。好奇心を発揮するうえで重要なのはパズルではなくミステリーというわけだ。煎じ詰めていえば、問いが大事という話。

吉川　ひと口に問いといっても、面白い問いを立てるのはなかなか難しい。

山本　「学んで問う」と書いて学問というように、学んだことに応じてしか問いは作れない。そして学べば学ぶほどわからないことが増えてくる。知れば知るほど知識とともに謎が増える。ミステリーが尽きないのは、そういう構造があるからなんだよね。

吉川　パズルとミステリーというのは、トーマス・クーンの『科学革命の構造』（みすず書房）

なんかも連想させるし、使いでのあるレトリック。

山本　さらに、こうした好奇心の社会的な効果を視野に入れているのが、本書のもうひとつ面白いところ。要するに、学校での学習にせよ、創造にかかわるような仕事にせよ、好奇心を原動力として探究したり知識を増やしていくことが肝心。それだけに好奇心のあり方が、将来の学業成績や仕事における差を生み出すという次第。

吉川　これが例の「好奇心格差が経済格差を生む！」の内実だね。学びと問いのサイクルを自分のなかでどれだけ回していけるかにかかっていると。だから、もし好奇心を持続させたいと思えば、いろんな工夫や仕掛けを使って、自分がそれをやり続けられるように生活を組み立てていくというのが大事だね。意識だけ高くても無理なわけだ。

山本　そう、自覚的な取り組みが必要になる。それと著者は本書をつうじて強調しているんだけど、好奇心はすでに脳裏にある知識（記憶）をベースとして働き、そこから次の問いや探究が生まれる。つまり知識が知識を呼ぶわけだね。だから基礎となる知識をどう習得しておくかは無視できないポイントでもある。

　手元にある知識をもとに好奇心を働かせて問いを立てること。これは吉川くんと私の師である赤木昭夫先生[3]から教わったことのひとつでもある。自分なりに面白い問いを作って頭の片隅に入れておくと、その問いが一種のフィルターとなって、そんなことでもなければ目や耳に入らなかったかもしれないものが飛び込んでくる。本を読んだり人と話すのもいっそう愉快になる。これは人文学に限らず学術全般や研究にとっても重要なことです。

吉川　まあ、そうじゃなきゃ面白い研究ができないだろうし、それを続けることもできないだろうしね。

山本　そうそう。

人類学者かつ歴史学者として

ロビン・G・コリングウッド

思索への旅――自伝

玉井治訳、未來社フィロソフィア双書、一九八一年

吉川　でね、山本くんから勧められて『子どもは4000回質問する』を読んでみて、私も大きな刺激を受けたんだけど、そのときに思い出したのが、ロビン・G・コリングウッドというイギリスの哲学者なんだよね。歴史哲学や芸術哲学で有名な人。

山本　二〇世紀半ば頃まで活躍した人だね。『自然の観念』（みすず書房）とか『歴史の観念』（紀伊國屋書店）、『芸術の原理』（勁草書房）などは邦訳もある。

吉川　地味な人だし、いまではあまり読まれていないだろうなと思っていて、しかもここで

取り上げる自伝は現在品切れで、図書館や古書店で探してもらうしかない。こんな本を紹介してほんとに申し訳ないなと思うんだけど、たまにはということで許してください。でも、今回のテーマに関して、すごく大事なことが書かれている。

自伝と聞いたら、そんな昔のおっさんの人生とか興味ないしと思うかもしれないけど、まあそう言わずに、騙されたと思って読んでみてほしい。自伝といっても、この人の場合、自分の研究についてしか書いていなくて、一種の学問的遺言書のような感じ。

山本 その点、邦訳はタイトルを工夫してあるわけだ。『思索への旅――自伝』で、単なる自伝じゃないよと。彼が学んだ二〇世紀はじめ頃のオックスフォード大学の様子なども垣間見えて面白い。

吉川 そうそう。それで、レズリー本でテーマになっていた好奇心と問いというテーマが、この自伝の第五章「問いと答え」で非常に明快に定式化されているんだよね。

コリングウッドはこの本で、名前が面白いんだけれども、「問答論理学」というのを提唱していて。彼によると、アリストテレスの古典論理学にせよ、フレーゲ以来の記号論理学にせよ、我々が知っている普通の論理学は、個々の命題の真偽を独立に決定できると想定している。それに対して問答論理学は、その名のとおり、それがどんな問いに答えるものなのかという観点から、命題――命題に限らず作品やパフォーマンスなんかも含むんだけど――を理解しようとする。つまり、命題や作品に接するときには、「誰それはこれをどんな問題に対する解答にしようとしたのか」と問うような態度で臨めということ。命題や作品はそういう問題状況のなかではじめて固有の意味を持つのだから、それらを独立に取り出して云々しても仕方ないんじゃないか、そうコリングウッドは言っている。

山本 言ってみれば、知的探究なり創作なりの動機も視野に入れるというわけだ。

吉川 考えたら当たり前のことなんだけどね。我々が興味を持つことの多くは、特定の時と場所で、特定の状況のもとで生まれるものだから、その状況というかコンテクストのなかで理解しないといけない。そうでなきゃ我田引水、さらにはトンデモになってしまう。

でもこれ、原理だけを確認すれば当然のことなんだけど、実行するのはとても難しいんだよね。というのも、ある命題なり作品なりが答えようとした問いというのは、明示的に示されることもあるにはあるんだけど、多くの場合には暗黙の前提となっているから。だから読者が自分で問題を発見あるいは再構成しないといけない。

山本 事件の犯人を捜すホームズじゃないけど、一種の推理が必要になるね。

吉川 コリングウッドという人は、哲学をやる前は考古学をやっていたそうなんだけど、考古学調査の経験が問答論理学のアイデアに役立ったみたい。遺跡を発掘していると、わけのわからないものが出土する。そのときにどうするかというと、これはいったいなんのためのものなのかという問いを発するわけだ。それが昔の人びとの生活を理解するとっかかりになる。

山本　ものを読んで考えるのもそれと似た面があるよね。とくに哲学書が典型だけど、人が取り組んだ研究って、結論とかそこに至る議論だけを読んで受け取ろうとしても、うまく飲み込めないことが少なくない。その手前で、そもそもその人はなにを探究しようと思ったのか、なにを知りたいと考えてその研究に乗り出したのかという出発点にある動機がわからないと、ついていけなくなっちゃうことも多い。
　言い方をかえれば、著者がどういう動機に導かれて本を書いたのか、という観点から問題を共有したり共感できれば、俄然面白くなってくる。それに気づけば哲学書を読むのも楽しくなる。

吉川　プラトンとかアリストテレスとか、書かれた内容だけを取り出してみれば、わけがわからなかったりするんだけど、でも彼らがどんな問いに直面していたかという観点から見れば理解可能になって、独自の意味と価値が見えてくる。
　いわゆる炎上発言なんかについても、問題を再構成してみれば、それなりに納得できるものだったりする。片言隻句を取り上げて断罪してもしょうがない。問題そのものが面白くないという場合には、それごと捨て去っちゃえばいいと思うんだけれども。

山本　そういう意味では、「火星の人類学者」[4]（オリヴァー・サックス）の視点が必要なんだろうね。ある人間や集団において、当人たちにとっては当たり前すぎて明示されない問題を再構成する視点。文化人類学者から経済誌の編集長に転身したジリアン・テットが、『サイロ・エフェクト——高度専門化社会の罠』（文春文庫）で指摘したのも、この問題だった。組織を動かす規範や慣習が自明視されて見えなくなってしまうのがサイロ効果。これが企業にさまざまな問題を引き起こしている。そこで必要なのが、インサイダーであり、かつアウトサイダーでもあるという視点。つまり人類学者の視点から、自明視された暗黙の前提を可視化することで、知というものを問いと答えのセットで扱うという姿勢です。これはコリングウッドの問答論理学と同じことを言っていると思う。

吉川 うん。こういうふうにもまとめられそう。インサイダー兼アウトサイダーというあり方には、共時的な側面と通時的な側面がある。共時的な側面を取り上げると、テットのいうような人類学者の仕事になる。通時的な側面を取り上げると、コリングウッドのいうような歴史学者の仕事になる、と。誰それはこの命題をどんな問題に対する解答にしようとしたのか、という問いは歴史的な問題にほかならないわけだから。読書を楽しむ王道は、作品に対して人類学者かつ歴史学者として接することだと言えるかもしれない。

山本 さらに言えば、これこそまさに、この連載のタイトルにもある「人文」的思考の核心だよね。

吉川 まったく。というわけで今回は、いっけん人文書には見えないような、自己啓発書っぽい売られ方をしている本から入ったわけだけど、最終的には「人文的、あまりに人文的」な思考の中心的課題へと至りついたと。

せっかくいい感じにまとまったところなんだけど、最後にひとつ補足。今回コリングウッドについて調べる過程で、面白い研究者をふたり見つけました。どちらもこれまで存じ上げなかったんだけど。ひとりは大阪大学の入江幸男[5]さんで、問答論理学の主張を再検討するという仕事をされている。著書『問答の言語哲学』(勁草書房)だけでなく、講義ノートなんかも公開されているので検索してみて。もうひとりは早川健治[6]さんという二〇代の研究者で、ユニバーシティ・カレッジ・ダブリン哲学科の修士課程にいらっしゃるらしい。この人がコリングウッドの邦訳をキンドル版で二冊出している。こちらも検索してみてください。

次回はもうちょっと王道っぽい人文書を紹介しましょうか。まだなんにも決めてないけど。どうかお楽しみに。

山本　ご機嫌よう。

註

1　センス・オブ・ワンダーは「神秘さや不思議さに目を見はる感性」のこと(レイチェル・カーソン、『センス・オブ・ワンダー』上遠恵子訳 新潮社)より。レイチェル・カーソンは米国の海洋生物学者。同書はカーソンの死後に出版された。著書に農薬公害の環境汚染を告発した『沈黙の春』など。

2　私はなにを知っているか? ミシェル・ド・モンテーニュ『エセー』より。フランス語でQue sais-je?

（クセジュ）。

3　赤木昭夫（あかぎ・あきお）　一九三二年生まれ、NHK解説委員、慶應義塾大学環境情報学部教授、放送大学教授などを歴任。『インターネット社会論』『漱石のこころ　その哲学と文学』（いずれも岩波書店）など著作多数。

4　火星の人類学者　オリヴァー・サックスの同名著書（『火星の人類学者――脳神経科医と7人の奇妙な患者』吉田利子訳、ハヤカワ文庫NF）に登場する「わたしは火星の人類学者のようだ」と漏らす自閉症患者の言葉から。

5　入江幸男　一九五三年、香川県丸亀市生まれ。大阪大学名誉教授。二〇二〇年十月『問答の言語哲学』（勁草書房）を刊行。大阪大学での講義ノート記録は入江幸男のホームページ内で読むことができる。
https://irieyukio.net/KOUGI/kougiindex02.html

6　早川健治　翻訳家。電子書籍でロビン・コリングウッド『哲学の方法について』（2014）『精神の鏡、知識の地図』（2015）邦訳を発表。アンドリュー・ヤン『普通の人々の戦い　AIが奪う労働・人道資本主義・ユニバーサルベーシックインカムの未来へ』、エレン・ブラウン『負債の網　お金の闘争史・そしてお金の呪縛から自由になるために』（ともに那須里山舎）の翻訳も手掛ける。「早川健治 本の翻訳家」https://kenjihayakawa.wordpress.com/

3

自由意志は存在しない？

ベンジャミン・リベット
マインド・タイム――脳と意識の時間
下條信輔訳、岩波書店、二〇〇五年

吉川　いきなり宣伝めいて恐縮なんだけれども、この（二〇一六年）六月に『脳がわかれば心がわかるか――脳科学リテラシー養成講座』（山本貴光＋吉川浩満、太田出版）という本が出ました。

山本　我々のデビュー作『心脳問題――「脳の世紀」を生き抜く』（朝日出版社）の増補改訂版。原版が出たのが二〇〇四年だから、あれから干支がひとまわりしたことになるね。

吉川　この一二年で、当然ながら脳研究にもいろいろなことがありました。最近は人工知能関連のニュースが賑やかだけれども、もちろんナマモノの脳にかんする研究も進んでいます。たとえば、マウスの神経細胞を操作して偽の記憶を植えつけたり、あるいは記憶を消してしまったり、そうしたことも実験室では可能になりつつある。

山本 ジョン・ウー監督の映画『ペイチェック　消された記憶』（二〇〇三年）の世界。原作はかのフィリップ・K・ディック。たしか記憶を消す場面で、ニューロンにレーザーみたいなものを当ててプチっと消すんだよね。あれを観たときは笑っちゃったけど、実質的にはそれに類する技術が開発されつつあるわけだ。

吉川 脳と心がどのように関係しているのかというのは、「心身問題」とか「心脳問題」とか呼ばれていて、広く取れば古代ギリシアから続く由緒ある哲学問題なんだけど、当然ながら時代時代の科学的知見から大きく影響を受けているよね。というか、新たに得られた知見をどのように理解すればよいのかというかたちで研究が進められてきたと言っていい。

山本 我々の『脳がわかれば心がわかるか』では、そうした心身／心脳問題のあり方を、一八世紀の哲学者イマヌエル・カントの「アンチノミー」の議論によって定式化しました。アンチノミーとは、もともと古典ギリシア語で、正反対の法律が並立する様を指していたようです。つまり、同一の事柄についてふたつの矛盾・対立する命題が同時に成立してしまうという事態。日本語では「二律背反」とも訳されるね。人間の理性はアンチノミーから逃れられない運命にある、そうカントは言ったわけです。『純粋理性批判』（一七八一年）では合計四つのアンチノミーが挙げられています。本では、ページを二分して「定立命題」と「反定立命題」が並べられている。レイアウト自体でふたつの命題を並置しています。

吉川　心身／心脳問題に関連するのはそのうちの第三アンチノミーで、簡単に言えば、「世界は因果法則のみでは説明できない（＝自由が存在する）」という定立命題と、「世界は因果法則のみで説明できる（＝自由は存在しない）」という反定立命題が並立する、という事態を指します。心身／心脳問題の典型的な問いは「人間のすべては自然法則のみによって説明できるか」というものなんだけど、その背景には、近代科学によって因果的に説明できる物事の範囲がどんどん拡大してきたという歴史的経緯があります。いわば反定立命題の正しさがどんどん実証されてきたということ。我々の心だって脳の神経細胞の活動として説明できるではないかと。

山本　いわば機械論的な見方だね。他方で、反定立命題だけが正しいとすると、人間の世界がほとんど理解不能になることも確か。たとえば、自由が存在しないとなれば、「お前のせいだ」とか「俺の手柄」とかいったことも言えなくなってしまう。自由が存在しないのであれば責任を問うこと自体が無意味になるから。見方を変えて言えば、程度の差はあれど人間の社会や生活は、定立命題の正しさを想定して組み立てられている。

とまあ、そんな次第で、心身／心脳問題の核心にはカントの第三アンチノミーが控えている、というのが我々の見立てです。心身／心脳問題にかんする立場は人それぞれという面があるけれど、依然としてカントによって設定された土俵のうえでものを考えているのは間違いない。

吉川　そこで今回は、「人間に自由はあるか」という問いを原理的に、かつ現代的な文脈において考える際に必読と思われる書物を紹介します。

山本　まずはアメリカの神経科学者・医師、ベンジャミン・リベットの『マインド・タイム』。この本には「リベットの実験」として知られる有名な実験の全貌が収められている。実験自体は七〇〜八〇年代に実施されたんだけど、二〇〇四年に刊行されたこの『マインド・タイム』によって一躍脚光を浴びることになりました（邦訳は二〇〇五年）。

吉川　自由意志の存否をめぐる長い長い議論のなかでも重大な意義をもつ実験だよね。

山本　ご本人がまるまる一冊を費やして説明してくれているところ、恐縮しつつ無理を言うけど、簡単に説明するとどうなるかな。

吉川　ふたつのことがわかったとされる。まず、意識など錯覚にすぎないということ、そして、自由意志など存在しないということ、これである！

山本　短か！　「これである！」って言われても、簡単すぎてかえってわかりにくいよ。もう一声。

吉川　簡単にって言うから短くまとめたのに贅沢だなあ。じゃあもうちょっと詳しく見ていこうか。まず、我々の意識は現実からつねに遅れているという事実がある。たとえば、皮膚にたいして物理的な刺激が与えられたとして、それに意識が気づくまでには、少なくとも〇・五秒ほど必要なことがわかっている。まあ、これは理解しやすい。

山本　うん。そもそも皮膚からの刺激が脳に届くにも、時間がかかるわけだしね。

吉川　ところが、意識はこのような遅れがまったくなかったかのように、まるでリアルタイムに出来事を経験しているように感じている。

山本　そこが面白いよね。

吉川　そう、どうしてそんなことが可能かというと、我々の意識が、遅れた分の時間を遡行するようにして時間を編集しているから。それによってリアルタイムに出来事を経験しているような錯覚が与えられている。

山本　意識は時間編集によって遅れを取り戻している、と。リアルタイムにたいする「マインド・タイム」というわけだ。

吉川　そしてもうひとつが、かの有名な自由意志にかんする実験ね。同じような遅延は我々が行為を行う際にも生じている。たとえば「手首を曲げる」という意図と行為を詳しく調べてみると、被験者が「手首を曲げよう」と自覚するのは実際に手首を曲げる行為が発現する〇・一五〜〇・二〇秒前なんだけど、じつは行為の〇・五秒前には「準備電位」と呼ばれる脳の活動が始まっていることがわかる。

山本　つまり、「手首を曲げよう」と意図した結果として脳が活動するのではなく、脳が活動した結果として「手首を曲げよう」という意図が生じるというわけだ。

吉川　うん。無意識下で進む脳の物理的な因果過程がまずあって、それに意識過程が気づいているだけ。我々はその気づきを自由意志だと錯覚している。つまり実験は自由意志の存在を否定している。これがリベットの結論です。

山本　でもさ、そうすると、どこまでいっても意識は脳の奴隷ということなんだろうか。

吉川　そこでリベットは自由意志をいわば消極的に救出しようとするんだよね。さっき言ったように、行為の〇・五秒前に脳が活動して、行為の〇・一五〜〇・二〇秒前に意識がそれを自覚するんだけど、意識はこの自覚から行為の発現までの〇・一五〜〇・二〇秒のあいだにその行為を拒否することができる、と。つまり、我々には脳によって開始された行為の発動にたいする拒否権はあるんだ、というのがリベットの主張。

山本　図式的に並べれば、

a 脳の活動（〇・五秒前）→ b 意識の自覚（〇・一五〜〇・二〇秒前）→ c 行為

というわけだ。で、このbのタイミングで拒否できる、と。うーん、これは怪しいというか、危なっかしい議論だね。普通に考えたら、その拒否にも準備電位が先行してるんじゃなかろうか。

吉川　そうそう。まさにそこが微妙で、また異論も多いところ。

自由は進化する?

ダニエル・C・デネット
自由は進化する
山形浩生訳、NTT出版、二〇〇五年

山本 リベットの実験とその解釈にたいする決定的な批判としては、アメリカの哲学者ダニエル・C・デネットによるものがあるね。

吉川 デネットの『自由は進化する』の話に移ろうか。デネットはこの本で、リベットが検証してその存在を否定した「自由」について、それは我々の自由とはなんの関係もない、と言っている。

山本 そもそも人間の意志や意図というものは、リベットが想定しているように、ある「瞬間」に同定できるものなのだろうか、とデネットは問う。逆に言えば、自由についてそんな見方をしているから話がおかしくなってくるんじゃないかと。

吉川 我々の意志や意図というものは、通常、いろんなタイムスパンをもっているからね。たとえば旅行のスケジュールを考えたり、将来の夢について考えたりもする。そういうものについて「自由意志の起点」とか「決断の瞬間」みたいなものを同定できるとは思えない。リベットの実験にしても、被験者は実験への参加とか指示への理解とか、そういう大きな文脈のなかで「手首を曲げる」という行為をしているわけで。

山本 さらに、リベットは無意識的な脳の因果過程と意識的な決断というものを対立させて、自由というものを後者にのみ帰属させようとしている。でも、これは我々の実際のあり方とはずいぶん違う、デネットはそう続ける。我々の自己は、実際には時空間的にさまざまなプロセスが並行して走っている複合体であって、意志や意図を脳内の特定の箇所とか時間上の特定の瞬間に還元できるようなものではない、と。

吉川 デネットが昔から主張している「多元的草稿モデル」だね。じゃあデネットの考える自由とはなんだろうか。

山本 デネットの考える自由というのは、簡単に言って、生物としてのある種の能力なんだよね。哲学史上において、自由は行為の絶対的な始原という役割を担わされてきたんだけど、そういう形而上学的なものではない。いわば生物としての人間が進化の過程で身に付けてきた、状況に対応してさまざまなやり方を開発したり発揮したりする能力のこと。だから全か無かじゃない。増えたり減ったりもする。

吉川 スポーツやゲームを思い浮かべたらわかりやすいかもね。練習や訓練を積み重ねるうちに、文字どおりプレイヤーとしての自由度が増していく。それはつまり、意識的だったり無意識的だったり、瞬間的だったり長期的だったりする多数のプロセスをうまくまとめて状況に対処できるようになるということで、それが自由なプレーを生む。

ここで、そのプレーにたとえば無意識的なプロセスが含まれているからといって、我々はそのプレーを自由でないとは言わない。すべてをひっくるめて自由の増大を感じる。

山本　自由というものを形而上学的に考えるのはやめよう、その実際の働きに即して自然主義的に説明しよう、ということだね。

吉川　自由についての概念分析と進化的説明がうまくつなげてあっておもしろい。ただ、至近要因（メカニズム）の問題を究極要因（進化）の観点から包んだだけなんじゃないかという批判はあるかもしれない。読者諸賢におかれましても、ぜひ直接リベットとデネットの本にあたってみてください。

山本　ところでさ、リベットの実験って『マイノリティ・リポート』（少数報告）を思い起こさせるね。

吉川　うん。これもフィリップ・K・ディックの作品で、スティーヴン・スピルバーグ監督&トム・クルーズ主演で映画化もされた。

山本　近未来社会を舞台にしたSF作品。プリコグと呼ばれる超能力者が、これから起きる――ということは、まだ起きていない――殺人事件を予言して、それに応じて犯罪予防局がその事件を未然に防ぐという話。

吉川　リベットの実験の未来社会版だと考えれば、プリコグは必ずしもスーパーナチュラルな存在である必要はないよね。市民の脳状態のビッグデータを解釈するAIのようなものと考えることができる。そのAIが殺人行為の「準備電位」を検出すれば警察が動く、と。

山本　アニメの『PSYCHO-PASS サイコパス』[1]が描いたのは、まさにそういう状況だった。人びとの心理状態が計測されて「犯罪係数」が算出・管理される。これが一定値を超えると実際に罪を犯してなくても公安局に取り締まられちゃう。
『マイノリティ・リポート』や『PSYCHO-PASS サイコパス』ほどではないけれど、じつはすでに似たような仕組みは実装されつつある。先日ニュースで見かけたのは、監視カメラの映像をもとに不審者を特定してテロや犯罪を未然に防ぐというロシアの画像解析システムで、その名も「DEFENDER-X」[2]。被写体の表情の振動をとらえて、緊張や攻撃性といった犯罪につながる精神状態を検出するんだって。被写体の精神状態は、空港職員や警備員にわかりやすいように、顔を取り囲む色つきの線で示される。この線は「オーラ」と呼ばれていて、たとえば「攻撃性が高まった状態」になると被写体が赤いオーラをまとう（笑）。

吉川　ウケるね。もうひとつ、おもしろいニュースを見つけたよ。二〇〇八年に発表された心理学の論文によれば、自由意志は幻想だという情報を与えられた被験者はモラルに反する行動を示すことが多くなるらしい。今年発表されたばかりの論文でも、人は自由意志の存在を疑うと不正行為に走ったり他人に協力することをやめたりする傾向が強まると。

山本　『マインド・タイム』を読むとどうなるか、みなさんもぜひ自分で実験してみてください。

吉川　大澤真幸さんが『生きるための自由論』（河出書房新社）という本で、自由というのは自己と他者のあいだで生まれる社会的なものだという主張をしている。自由は責任とともにあり、そして責任とは他者にたいする責任なわけだから。この研究結果は大澤説の傍証になるかもね。自由が存在しないと思う人からは社会性が脱落する、と。

山本　ちょっとシャレにならないよね。今回、リベットとデネットの本をとりあげたのは、拙著『脳がわかれば心がわかるか』の刊行に合わせてということもあるけれど、こういうニュースが増えてきたからというのもある。

吉川　どちらも一〇年前に出た本で、読む人はすでに読んじゃっているかもしれないけれど、いまあらためて読んでみるべき二冊だと思います。

註

1　『PSYCHO-PASS サイコパス』（二〇一二〜）　近未来刑事ものオリジナルアニメ。総監督・本広克行、監督・塩谷直義、脚本・虚淵玄、深見真、高羽彩、アニメーション制作・Production I.G。

2　「DEFENDER-X」は、カメラに映る人物の画像をもとに、その人の「精神状態（感情）を自動解析し、犯罪の可能性がある人物などを事前検知する」というシステム（ELSYS JAPANのウェブサイトより）。ここには次のような前提がある。①人の感情は表情（外見）に表れる。②感情と表情は人によらず対応する。③ゆえに表情から感情を推定できる。このうち②の是非については意見が大きく分かれている。近年、人工知能による画像認識には、それを開発した人の認知バイアスが影響するとの指摘もあることも念頭に置く必要があるだろう。（山）

4

歴史を論じる

加藤陽子
それでも、日本人は「戦争」を選んだ
新潮文庫、二〇一六年（朝日出版社、二〇〇九年）

吉川　二〇一四年は第一次世界大戦開戦一〇〇周年、来年二〇一七年はロシア革命一〇〇周年と、二〇世紀初頭に起きた重要な出来事が次々とメモリアルイヤーを迎えるね。

山本　それこそ戦争と革命の世紀とも言われた二〇世紀を一〇〇年おいて辿りなおす機会というわけだね。Twitterでは、年号こそぴったり一〇〇年前じゃないけれど、しばらく前から第二次世界大戦や太平洋戦争末期の出来事をリアルタイムにツイートするアカウント（@RealTimeWWII, @Fuyo1945）も現れた。あれは妙な生々しさがある。

吉川　八月一日の午前一〇時に「1945年8月1日10：10加瀬駐スイス公使は、ポツダム宣言がソ連の合意を得て発表され、米英ソでなんらかの取り決めが行われた可能性があるとの見解を外務省に打電する」とかね。目の前で事件が起きて、事態が更新されてゆくから、ちょっと緊張感もある。

山本　そう、もちろんいま現在その出来事が起きているわけではないんだけど、一日のあいだにこれだけのことが、こういう時間の流れのなかであったのかと感じられる。

吉川　そんなふうに次々と持ちあがる出来事を文字で追うだけでも大変なのに、当時はネットのような速報拡散メディアはないから、あちこちで生じつつある複数の出来事を把握するのは大変だっただろうね。

山本　それはまさに、過去の出来事をどう捉えられるかという歴史理解の問題にも通じるね。どれだけの材料を、どんなふうに解釈し、どう理解するか。

吉川　一度しか生じない出来事を、どう把握したり理解できるか、というわけで、これはまさしく人文知の対象だね。今回は八月ということもあるし、戦争に関連する人文書をとりあげようか。まずは、加藤陽子さんの『それでも、日本人は「戦争」を選んだ』。

山本　名著だね。二〇〇九年に朝日出版社から刊行されて長く読み継がれています。先頃、新潮文庫に入って、いっそう手に取りやすくなったところ。

吉川　加藤陽子さんといえば、日本近代史、なかでも一九三〇年代の外交と軍事を専門としていて、この本の他にも『模索する一九三〇年代――日米関係と陸軍中堅層』（山川出版社）『満州事変から日中戦争へ——シリーズ日本近現代史〈5〉』（岩波新書）他の著作もある。この対談が公開される頃には、期待の新著『戦争まで——歴史を決めた交渉と日本の失敗』（朝日出版社）も出ているかな。

山本 本書は書名の通り、一九世紀末から二〇世紀前半にかけて、日本が行った戦争をテーマにしています。範囲は、日清戦争から、日露戦争、第一次世界大戦、満州事変と日中戦争、そして太平洋戦争まで。

吉川 厖大な細部に支えられた本書の内容自体を、ここで乱暴に要約してしまうことにはあまり意味がないので、歴史の論じ方という点で検討してみようか。

山本 そうだね。

吉川 この本は、加藤さんが中高生たちを聞き手として行った講義をもとにつくられたものです。

山本 そう、しかも講義といっても、先生が一方的に話すのではないのがいいよね。歴史にかんする本や講義は、ともすると「こういうことがあった」という細かな史実や仮説の列挙になる。もちろん専門書はそれでよいし、必要な手続きなんだけど、専門家ならぬ読者や聞き手にとっては無味乾燥なものになりがち。

吉川 重要なのは、むしろそうした細部を読み解いたり、束ねあげたり、文脈をつくる視点。その点どうかというと、加藤さんは、講義を通じて絶えず生徒たちに問いを投げかけている。

山本　問いがあれば、好奇心も動き出すし、歴史を眺める視点も得られる。

吉川　たとえば、「この戦争はどうして起きたのか?」「この戦争でなにが変わったのか?」という巨大な問いもあれば、「日清戦争後に民権運動家らはなぜ普通選挙の必要性を自覚したのか」「朝鮮を支援していた福沢諭吉がなぜ『脱亜論』を発表しなければならなかったか」という問いもある。

山本　歴史の知識があったとしても、ちょっとどう答えたらいいだろうと往生するような問いも少なくない。

吉川　しかも、読者のこっちが「うーん、なんだろう?」とか思ってると、講義に参加していた中高生たちが鋭い回答を提出したりする。

山本　そうそう。でも、ここがポイントだと思うけど、人はそうやって問われると、知っていることを総動員しながら、いろいろなことをああでもない、こうでもないと考え始める。考えたくなる。

吉川　単に年号や人名を記憶して、クイズに答えるのとはまるで違う頭の使い方だよね。個別の知識だけでなく、相互の関係や因果を考えさせられるわけだから。

山本　うん、「歴史は暗記もの」という頭でこういう授業を受けたら驚くだろうね。

吉川　加藤さんは、講義を通じて、史料や各方面の専門家たちによる研究やデータを駆使しながら、過去の状況を生徒たちの目の前で丁寧に描き出してみせる。つまり、研究と同様に、なにに基づいてどう解釈しうるかという話をしている。

山本　それだけに、実は一度通読したくらいでは消化しきれないほど多くの知識や発想が畳み込まれている。また、そうでなくては、日本が戦争へと向かう過程を克明かつ説得的に描くことはかなわない。

吉川　ここぞというところで出てくる地図も効果的だよね。ともすると細部におぼれてしまいそうになる議論についても、適度に簡略化された地図を通じて、空間的にイメージできるようになっている。

たとえば、日露戦争の過程を論じた箇所で提示されている「ロシアの中国進出」という地図（次頁）。これは一八九六年に中国とロシアが結んだ「露清防敵相互援助条約」という対日同盟を意図した秘密条約で、ロシアが満州を横断する鉄道を敷設できることになったその様子を表したもの。地図には日本と中国のおおまかな地形に、その条約の重要ポイントでもある鉄道と地名だけが描かれている。

山本　もうひとつ注目しておきたいのは、加藤さんの議論の進め方。問いに対して生徒たちが、仮に間違った答えや発想で発言したとしても、「違う」とか「ダメ」とは言わない。いったんは受け止めた上でコメントしながら、やりとりをしている。だからこそ、生徒も「想定された正解以外は口にできない。すると叱られる」と萎縮せずに、「こうかな？」「こう考えられる」と、試行錯誤しながらアイディアを口にできるんだよね。

吉川　逆に生徒の発言が予想外で、加藤さんが「そういう答えは予想していなかった。こ、困りました」とたじろぐ場面もあったり。

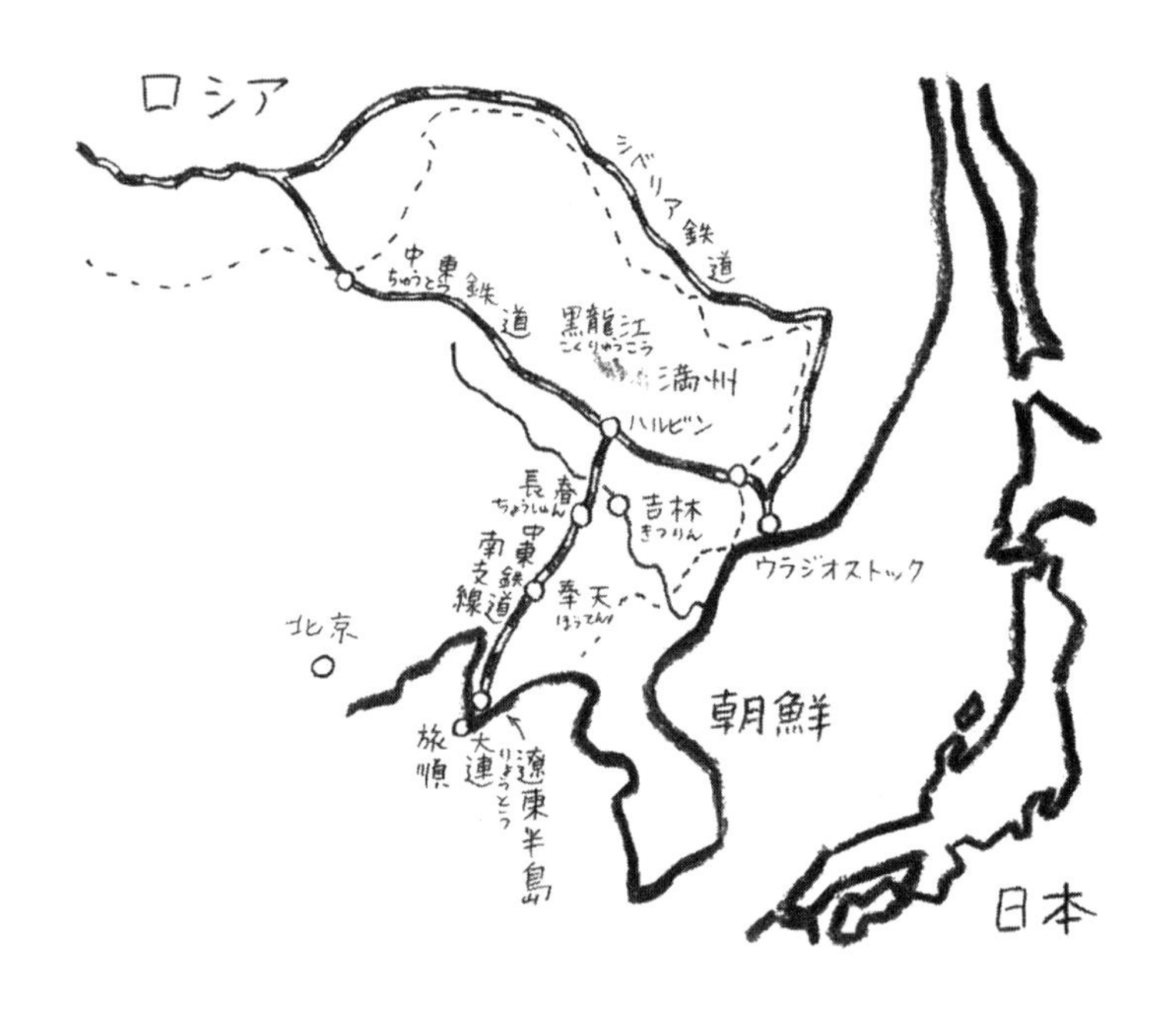

加藤陽子『それでも、日本人は「戦争」を選んだ』より
（新潮文庫、2016年、181頁）作図＝牧野伊三夫

山本　この授業の進め方はね、やってみると分かるけど、先生側の力量や人間の器をおおいに試されるよ。

吉川　そりゃそうだろうね。なにしろどんな質問や意見が飛び出してくるか分からないから。ある史料なりデータなりを前にして、試行錯誤しながら仮説や解釈を考えるという、この進め方自体が、じつは歴史学の醍醐味であり骨法だということを、加藤さんは講義スタイルを通じて教えているわけです。

山本　まさに。ある出来事に対して、後から公開・発見された史料によって、従来の解釈も変わりうる。本書を通じて、そういう歴史解釈のダイナミズムについても随所で教えられる。

吉川　それと、アーネスト・メイの『歴史の教訓』（岩波現代文庫）を紹介して、「歴史の誤用」を論じたくだりでは、歴史というものについて考えるための重要な手がかりを示唆している。政策決定者のような重要な決定をする人が、後の目から見ると不適切な決定を下してしまうのはなぜか。簡単にいえば、人間は意志決定に際して、自分が知っている範囲の過去の出来事を自分の解釈によって関連づけたり、ストーリーに仕立てる。

山本　認知心理学でいう「認知バイアス」の典型だね。

吉川　そう、だからもし、そこで活用される過去の出来事が乏しかったり、真実から遠い解釈だったりすれば、いくら歴史から教訓を引き出して意志決定に活用しようったってうまく行かない。

山本　自分の判断に都合のよい過去の事例ばかり寄せ集めてもダメ。という話は、本書の最終章で論じられる太平洋戦争の進みゆきにもそのまま言えそうだね。

吉川　自分の都合に合わせて取捨選択するんじゃなくて、むしろこの状況からなにが起きうるかというシミュレーションをするような思考が必要。その際、どれだけ幅広く歴史を知っているかがポイントにもなるわけだ。

山本　加藤さんのこの本は、言ってみれば、問いというレンズを通して、史料や証言をどう読みうるか、というその手つきを伝えている。

記憶を武器に理不尽と闘う

大西巨人
神聖喜劇

光文社文庫、全五巻、二〇〇二年（初出は一九七八〜八〇年、光文社）

吉川　今回もう一冊に選んだのは、大西巨人の『神聖喜劇』です。

山本　日本文芸史の至宝といっても過言ではない。この小説は、学生時代に吉川くんが、いかに面白いか、どれだけすごいかを熱弁してくれて、それじゃあ読まなきゃってんで古本屋で買って読みました。最初に読んだのは、箱入りのハードカヴァーだった。

吉川　よくそんなこと覚えてるね！

山本　あの頃、会うたび読んだ本の話をしてたでしょう。吉川くんから、「最近読んで面白かった本」を書いたリストとかもらったこともあったよ。ティム・オブライエンの『ニュークリア・エイジ』[1]とか。あの紙、まだどこかにとってあるんじゃないかな……。

吉川　考えてみたら有難迷惑な行為だな……本人はよく覚えていない。ともあれ、『神聖喜劇』はまさに記憶が活躍する小説といってもいいね。

山本　ああ、たしかに。概要を紹介するとどうなるかな。

吉川　舞台は一九四二年年明けの対馬要塞。一九四一年一二月に太平洋戦争が開戦しているから、その直後だね。この要塞に補充されて訓練を受ける新兵、東堂太郎二等兵が主人公で、彼が軍隊における数々の不条理と静かな戦いを繰り広げる。より正確にいえば、その当時の様子を後に振り返って一人称で語っている。

山本　その東堂が、超人的な記憶力の持ち主で、かつて読んだ本の内容をまるまる覚えていたりするんだよ。

吉川　そう、それで東堂は、軍の規律を定めた『軍隊内務書』や『砲兵操典』も一言一句記憶するばかりか、精読してその解釈についても徹底して吟味している。他方で、彼が所属する軍隊では、上官によるいじめや差別や暴力が日常茶飯事なんだけど、多くの兵士たちは文句も言わず、従順に従う。東堂は、静かにやり過ごすことができなくて、そうした理不尽に抵抗する。その際の武器となるのが、超人的な記憶力と精読の結果得られた知見。

山本　象徴的なのは、比較的冒頭のほうで（といっても文庫版の第一巻、三五六頁）、上官の理不尽を前に東堂が決意を述べるところ。なにかというと、上官が『軍隊内務書』の言葉について間違った読み方をする。たとえば「真諦」を「シンテイ」と読んだりして。

吉川　正しくは「シンタイ」なんだよね。

山本　ところが上官は「軍隊と地方とでは、訳が違う」のだといって、「シンテイ」という誤った読み方を強制してくる。そこで東堂はこんなふうに決意する。

彼らが、彼らの無知無学不見識の結果を「地方とでは、訳が違う、軍隊の読み方」として私に――われわれ新兵に――どこどこまでも是が非でも押しつけようとするのならば、私は、私の持ち合わせる学問、知識、教養、見識、猪口才、小癪、こざかしさ、生兵法でもなんでもかでもを総動員して、彼らと競り合い、彼らに干渉し、彼らの穴を探し揚げ足を取ることを、辞せないがよかろう。[2]

吉川　たかが読み方の話にも見えるかもしれないんだけど、そうじゃない。ここには少なくとももうひとつの意味が込められている。軍隊は本来『軍隊内務書』によって規律されるはずなのに、実際にはそうした規律を外れた不条理や理不尽が横行している。にもかかわらず、そうした不条理は、あたかも『軍隊内務書』に則っているかのように解釈されている。

山本 ねじれというか歪みがある。

吉川 「シンタイ」と読むべき言葉を、「軍隊ではそれでいいのだ」と勝手に「シンテイ」と読むばかりか強制する。これは字の読み方もそうなら、規律の解釈・適用においてもそうであるという象徴になっている。

山本 それに対して東堂は、相手が上官だろうと構わず、「シンタイ」を「シンタイ」と読むことに定めてきた、いわば過去の歴史によってつくられたものを念頭に、語を正しく読み、規律を適切に解釈・適用すべくもの申すわけだ。

吉川 いうなれば、軍隊は、あるいは戦時は特別であって、社会や平時とは違うのだ、だから言葉の読み方も規律の解釈も勝手にしてよいのだ、というそれこそ勝手な理屈に抵抗する話。あまり余計なことを言わなくてもお分かりいただけるかもしれないけれど、この小説に描かれる不条理や理不尽は、たとえば昨今、日本国憲法の解釈をめぐって行われている議論にもほとんどそのまま重なるといっていい。

山本 それこそ歴史や法律を、自分の貧しい知識や偏った好みで勝手に解釈してよいのかというモンダイを突きつけている。『神聖喜劇』には、東堂の不穏で勝ち目のなさそうな戦いの行方がどうなるか、読み始めると止められない探偵小説のような味わいもある。

吉川 『それでも、日本人は「戦争」を選んだ』における戦争へと至った経緯の分析と併せて読むと、さらなる発見があるかもしれないね。

註

1 ティム・オブライエン『ニュークリア・エイジ』（一九八九年、村上春樹訳、文藝春秋）。交差する九〇年代と六〇年代のアメリカ。個性豊かな登場人物たちとベトナム戦争、核兵器の時代、反戦運動などを背景にアメリカが見える、「激しく哀しい」青春小説。

2 大西巨人『神聖喜劇』第一巻、光文社文庫、二〇〇二年、三五六頁。

5

エッセイの精神

ミシェル・ド・モンテーニュ
エセー
宮下志朗訳、白水社、全七巻、二〇〇五―二〇一六年

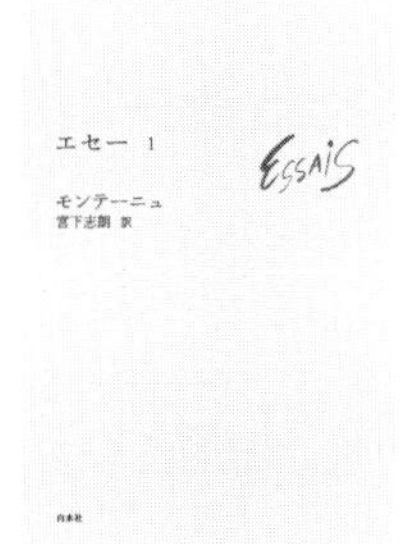

吉川 今年もいろいろとたいへんなことが起こっているけれど、最大の事件といえばやっぱりあれだよね。

山本 どれだろう……。

吉川 そりゃあもう、宮下志朗訳のモンテーニュ『エセー』完結だよ！

山本 それか！

吉川 この二〇一六年の春に最終巻の第七分冊が刊行されて。一二年かかったということ

で、まずはおつかれさまでしたと言いたい。ちなみに訳者の宮下さん、その間にラブレーも翻訳しているんだよ。

山本　すごい。ちくま文庫で出た『ガルガンチュアとパンタグリュエル』(二〇〇五―二〇一二年)が全五巻。ガルガンチュアとパンタグリュエルといえば、かの伝説的人文主義者・渡辺一夫の翻訳がすでにあったわけで、そこにまた見事な新訳を並べてみせた。

吉川　うん。しかも同時にモンテーニュも訳していたというわけだから。モンテーニュとラブレーを合わせると全部で一二冊。

山本　さすがに宮下さんも感慨深かったようで、『エセー』最終巻の訳者あとがきでこの一二年間のことを振り返っていろいろ書いている。

吉川　今風にいえば、ちょっとエモい。興味深かったのが、ラブレーよりもモンテーニュのほうが難しかったとおっしゃっていること。ラブレーについてはもう最終答案にしてもいいかなという気持ちがあるけど、モンテーニュについてはとてもそんなふうには考えられないと。

山本　そうそう。おもしろいね。普通に考えたら、はちゃめちゃな内容で意味不明のラブレー語まで飛び出すラブレーのほうが難しいんじゃないかと思うけど。モンテーニュの文章の微妙な動きをとらえるのは、それとは別種の難しさがあるということなのかもしれない。

吉川　ところで、わたくしの趣味のひとつに、自動車の運転中に特段の目的もなく放送大学のラジオ放送を聴くというものがありまして。

山本 ほう、伺いましょう。

吉川 ある日、めちゃくちゃいい声に乗って、めちゃくちゃおもしろい話が流れてきたんだよ。これはいったい誰なんだと注意深く聴いていたら、この宮下志朗先生の講義だった。

山本 へえ。

吉川 もうね、驚きの美声と名調子。みなさんもぜひ放送大学をお聴きください。

山本 突然の放送大学推し。

吉川 で、この新訳『エセー』なんだけど、底本が「ボルドー本」じゃないんだよね。

山本 ちょっと補足するとモンテーニュという人は、自分の本に山ほど書き込みをしたんだよね。そうした本人の訂正・削除・増補をもとにつくったのがボルドー本と呼ばれていた。二〇世紀のモンテーニュ研究ではこれが決定版とされてきたし、既存の邦訳もほとんどこれを底本にしている。

吉川 そこに一五九五年版という、モンテーニュの死後に出版されたヴァージョンをぶっ込んできた。

山本 事件というわけだね。

吉川 どれを『エセー』の決定版にするかというのは、ほかの古典についてと同様に文献学上の争点がいろいろとあって難しい問題ではある。でも、今回の新訳『エセー』には、少なくとも読者であるわれわれにとっては重大な意義がある。なにより大事なことは、パスカルやラシーヌが読んだ『エセー』も、この一五九五年版だったということ。われわれも彼らと同じ『エセー』が読めるということになる。

山本　うん。後世の目からすると、モンテーニュ研究において決定版とされてきたボルドー本のほうがありがたいように感じがちだし、実際ありがたいものなんだけど、それとは別に、実際に歴史において人びとに影響を与えた版というものもあって、それがこの一五九五年版なんだよね。

吉川　モンテーニュ研究という観点からすれば、厳密・詳細な校訂版がぜひとも必要。でも、歴史的に重要な版を読むことで、ルネサンスから連綿と続く人文主義の流れに自分もダイヴできるんじゃないかという気分を味わえる。アガるよね。

山本　今日はやけに若者言葉を使うね。

吉川　さっき卓球の教え子たちの試合の応援に行ってきたせいかもしれない。適切に使えているかどうかは知らんけど。（註：吉川は都内某中高一貫女子校の卓球部コーチをしている）

山本　さて、『エセー』という作品なんだけどね。

吉川　人間についてあらゆることが書かれています。というか、いまさらわれわれごときがこの人文学史上最大の名著にたいしてなにか言うことがあるかどうかわからないけど。

山本　まあ、まずはタイトルそのものに注目してほしい。「エセー essai」、つまりエッセイ（essay）という言葉は、日本語になってからは原義から遠く離れてしまった言葉だよね。

なんというか随想というか、心象風景を書きつけましたというイメージがあるかもしれない。でも、そもそもモンテーニュがエセー（エッセイ）と言うときには、「試みに考えてみる」という営みを指している。「知 science をめぐって、知によってなにを考えうるか」を考えてみましょうという含意がある。一種の「サイエンス・フィクション」と言ってもいいかもしれない。この場合の「サイエンス」も、原義の「知」という意味です。

吉川 ジル・ドゥルーズが『差異と反復』（河出文庫）で言っていたような意味での「サイエンス・フィクション」ね。

山本 学術的な論証や実証はいったん気にしないで遊歩してみる、知のうえで遊んでみるという感じかな。これは時代が変わっても有益なスタイルだよね。そういう発想であり方法なんだということ自体が、われわれにも自由を与えてくれる。

吉川 モンテーニュを初めて知りましたという人も、そういうつもりでこの『エセー』に臨んでもらえたらと思います。

山本 モンテーニュ以降、現代にいたるまでエセー／エッセイという言葉は、哲学や人文学はもちろん、科学においても用いられている。私が好きな本にアンペールの『知の哲学についての試論』（未邦訳）という学術大系を総覧するのがあるけれど、あれもエセー（Essai sur la philosophie des sciences）と題されている。やはり「試しに行う考察」「試論」というのが原義であり魅力なんだよね。

吉川　自動的に「随筆」と翻訳してしまうと、ただ心象風景を綴ったものかと思ってしまう。「窓を開けたらヒグラシの鳴く声が〜」みたいな。

山本　それこそ単にエモいだけの文章だ。エッセイにたいする誤解だね。そういえば昔、養老孟司さんが書き物に「エセー」という言葉を使ったら、編集者から「エッセイの間違いですか」と訂正されてしまったという話がある。

吉川　二重の誤解！

山本　モンテーニュのエッセイの魅力は、いろいろあって一口に言うのは難しい。まずは全七巻の目次を眺めてみればわかるけれど、相互に関連のありそうなものからなさそうなものまで、さまざまな話題が自由に展開されていて、これが楽しい。なんでも放り込めるし、いくらでも続きが書けるというスタイル。二世紀ごろにアテナイオスが書いた『食卓の賢人たち』[1]なんかも彷彿とさせます。

吉川　哲学者のテオドール・アドルノが「形式としてのエッセー」というエッセイを書いている（『アドルノ 文学ノート 1』みすず書房、二〇〇九年）。エッセイにとっては方法に反するということが方法である、と。

山本　ほんとそれね。

吉川　たとえば「レジュメを切る」ということがほとんど意味をなさない文章だよね。要約できない。というか要約しても意味がない。

山本　いわば思考の足跡を辿るのが楽しみどころだから、そんなことをしたら台無しになっちゃう。要約が役に立たない思考のモードという感じかな。ある前提から出発して、そこからどんな思考の道筋がありうるかということを辿っていくというのは、邦訳が出たドゥルーズの書簡集じゃないけど（『ドゥルーズ 書簡とその他のテクスト』河出書房新社、二〇一六年）、「思考とは怪物である」というかさ、自分が思ってもみなかった場所に連れていかれてしまう可能性に身をゆだねるという、そんな思考のモード。

吉川 たとえば今回出た最終巻でも、「足の悪い人について」という文章が収められているんだけど、これがまたじつに味わい深い。モンテーニュは全部そうなんだけど、読んでいくうちに、いろんな人の文章が出てくる。おもにギリシア・ローマの古典なんだけど、それ自体がおもしろいもんだから、読んでいるほうも思考があらぬ方向に行ってしまう。

山本 まさに散策なんだよね。モンテーニュ自身、頭のなかでかつて読んだものを呼び出しながら散歩をしている。それは脱線ですらない。そもそも本線がないんだから。

吉川 後世にはプルーストのような人も出てくるわけだけど、たとえば前回紹介した『神聖喜劇』の主人公の東堂二等兵なんかがおっさんになって田舎にひっこんだらこんなの書くのかな、みたいな。

山本 まさにまさに。というか、それこそ大西巨人のエッセイもこういうスタイルだね。

吉川 たしかに。

山本 で、この『エセー』を導いているのが、有名な「クセジュ？ Que sais-je?」――フランス語で「わたしはなにを知っているのだろうか?」の意——という疑問なんだよね。新訳『エセー』を刊行した白水社の新書シリーズ(もとはフランス大学出版の叢書)の総題にもなっているけれど。

吉川　わかったふりをしない。懐疑してみる。そうしたときになにが見えてくるのか。そういう態度で、これがモンテーニュの駆動力になっている。底流にあるのは懐疑主義。

懐疑の効用

松枝啓至
懐疑主義
京都大学学術出版会、二〇一六年

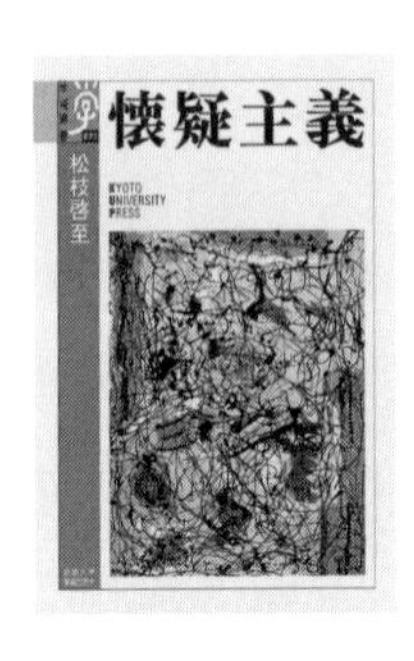

山本　懐疑主義といえばさ、この夏、松枝啓至さんの『懐疑主義』が出ました。

吉川　これはいい本だね。懐疑主義というのは、モンテーニュにおいてだけでなく、ある意味で哲学の歴史そのものを駆動してきたエンジンだったわけで、こんなふうにコンパクトな解説書が出る意義は大きい。類書がありそうでなかったから。長大な『エセー』とちがって全二四七頁の小さな本です。

山本　さっきエセー／エッセイについて解説したけど、「懐疑主義」についても補助線が必要かもしれない。

吉川　ほう。

山本　専門学校や大学の教室で「懐疑」という言葉を使うとね、こんな質問がくるんだよ。「先生、人を疑っていいんですか」って。

吉川　あはは。

山本　なんだか、疑うことは悪いことだっていうイメージをもっている人が少なくない。まずはその辺から解きほぐしていかないといけないかも。

吉川　なるほど。そっからか。

山本　もちろん懐疑というのはそういう意味ではなくて、「それは本当なのか」とあらためて問うことなんだよね。

吉川　「クセジュ？」（わたしはなにを知っているのだろうか？）と。

山本　そうそう。そういう知にたいする態度を言っているのであって、「あいつはどうも疑わしい」とか「嘘をついているにちがいない」とか、そういうことを指摘するのではない。

吉川　読者のみなさんにも実際に『エセー』を手にとってもらいたいんだけど、賢人が世界についての正解を与えてくれるというような、そういう本ではない。有名な古典ということで、そういう確固たる指針みたいなものを期待する人もいるかもしれないけれど。読んでみると、いつまでもあーだこーだと言っている。同じひとつのことについても、こういう場合にはこうなって、でもああいう場合にはああなって、というように思考が揺れる。

山本　すぐに役立つようなものではないけれど、なにかを考えるときに、視線を固定しないための技法と言ってもいいかもしれない。ああでもあるかもしれないし、こうでもあるかもしれない、そういう可能性を探るというのが懐疑主義のありかただ。

吉川　松枝さんの本は、懐疑主義についての本邦初の包括的な解説書かも。考えてみれば不思議だけれど。

山本　こんな本がほしいと思っていたけどなかったからね。

吉川　もちろんこれまでにも、本家ヘレニズムの懐疑主義についてや、デカルトの方法的懐疑についてや、ヒュームの懐疑論についての本などあったわけだけど。松枝さんも前著はデカルト論だし。包括的な解説というのがありがたい。

山本　ぜひとも読まれるべきだよね。なぜかというと、懐疑がないと、知においても創作においても、新しいものが生まれてこないから。定説をそのまま鵜呑みにするのでは、次なる新しい説や知見も生じない。いまのゲーム業界にもそういう傾向があるけれど、「ゲームってこういうものだろ」と決めつけて自明視しているかぎり、新しいゲームは生まれてこない。たとえば、「あれ、ロールプレイングって本当のところ、なんだったっけ?」という疑問から出発するだけで随分ちがってくるよ。

吉川　「わたしはロールプレイングについてなにを知っているだろうか?」と。

山本　そうやって問いなおしてみれば、角度を変えて物事を見る自由度が得られる。そうすれば、いままで見落としてきたものが見えてきたりする。みなさんも懐疑という方法を意識すると、クリエイティヴになれるかもしれない。

吉川　さらに言うと、懐疑にもさまざまな目的や機能がある。たとえば、ヘレニズム期の懐疑主義哲学者たちがなんのために懐疑をしていたかというと、なによりもアタラクシア(心の平安)のため。時代がくだって近代以降、デカルトを代表とする懐疑論は、確実な知識を得るためのステップボードとして懐疑を用いた。方法的懐疑というやつだね。そして現代に近くなると、懐疑論というのは闘いを挑むべき仮想敵のような役割を果たすようになる。

山本　この本を読めば、そういう事情を一覧できるよね。かたや、懐疑主義にかんしてつきまとってきたネガティヴな側面、つまり結局それは相対主義なんじゃないかという嫌疑についても考えることができる。

吉川　一口に懐疑主義と言っても一枚岩ではない。

山本　そう。この本を読んで「懐疑主義っておもしろいじゃん」って思った人は、本家本元ヘレニズム期の懐疑主義に挑戦してもいいかもしれない。昨年(二〇一五)、アナス&バーンズの名著『古代懐疑主義入門――判断保留の十の方式』が岩波文庫に入ったばかりだし。

吉川　あの本は最高だね。さらに、セクストス『ピュロン主義哲学の概要』（京都大学学術出版会、一九九八年）まで行けば、ほとんどコンプリートかな。ピュロンというのは紀元前四世紀から三世紀に活躍した古代ギリシアの哲学者で、懐疑主義のゴッドファーザーというかラスボスみたいな存在。それを紀元二世紀から三世紀ごろのセクストス・エンペイリコスという医者が解説したのがこの本で、松枝本と同じ京都大学学術出版会から出ています。世紀の偉業・西洋古典叢書の一冊。

山本　エンペイリコスというのは経験主義者という意味だった。ここまでくればマニアの仲間入りだ。

吉川　そういうわけで、秋の夜長はモンテーニュと懐疑主義で決まりだね。

山本　よい旅を。ご機嫌よう。

註

1　『食卓の賢人たち』　二世紀ごろの古代ギリシアの文人、アテナイオスの唯一の著作と言われる。全十五巻。ローマを舞台にソフィスト（賢人、通人）たちが当時の食や日常生活について薀蓄を披露する。失われた千以上の劇からの引用を含む。邦訳は『食卓の賢人たち　1〜5』（京都大学学術出版会 西洋古典叢書、柳沼重剛訳）。五分冊に完訳を収録、人名&出典索引付き。

6

幾何学の精神と繊細の精神

パスカル
『パンセ』
上・中・下巻、塩川徹也訳、岩波文庫、二〇一五―二〇一六年

吉川　前回は、今年最大の事件として宮下志朗さん訳のモンテーニュ『エセー』についてお話ししました。

山本　うん。

吉川　じつはもうひとつあるんだよね。同じくらいでかいやつが。

山本　なんだろう？　『こちら葛飾区亀有公園前派出所』第二〇〇巻で完結とか？

吉川　でかい！　けど、そうじゃなくて……流れを読んで！　ほら、『エセー』を愛読してい

たあの人。

山本　パスカル！　塩川徹也さん訳の『パンセ』完結だね。

吉川　ビンゴ。

山本　昨年（二〇一五）の夏に上巻、秋に中巻、そしてこの夏に下巻が出て完結。岩波文庫で上・中・下の三分冊。全部で一五〇〇頁以上ある。

吉川　おそろしい。アマゾンのカスタマーレビューでは今回の新訳について激しい議論が戦わされていたりもするけど、それはそれとして、たいへんな訳業です。

山本　うん。それに、この翻訳がたいへんだというのにはもうひとつ理由がある。こんなに分厚いのに、もともとひとつのまとまった本じゃないんだよね。生前にパスカルが書いた断片の集積なわけだ。

吉川　そう、それが死後にまとめられて『パンセ』となった。ポール・ロワイヤル版と呼ばれる初版は一六七〇年に出たんだけど、そのときの題名は『宗教および他のいくつかの問題に関するパスカル氏の諸考察——氏の死後にその書類中より発見されたるもの』と、まさにそのまんま。

山本　実際に翻訳をしてみるとわかるけど、断片というのはそれを読み解くための文脈の情報を含んでいないことが多いから、解釈がとても難しい。これはパスカルじゃないけど、そうした忘れがたい断片に「腹部」とか「熱風の管」というのがある。『ソクラテス以前哲学者断片集』（五分冊＋別冊、岩波書店）という本に収められているまさに断片。[1]

吉川 断片的すぎる！

山本 こうなると、もはやなんなのかさえ謎。考古学で、陶器のかけらみたいなモノを掘り出したはいいけれど、もともとどんな形をしていたのかを推測するのは困難というのとも似ているね。話を戻せば、そもそも断片の集積から一冊の本を編纂するということ自体、文脈を復元したり創造したりする高度で難しい仕事だよね。

吉川 訳者と編者に感謝だ。ところで、山本くんは『パンセ』に特別な思い出とかはある？

山本 じつはね、私はパスカルは嫌いではないんだけど、『パンセ』についてはよい読者じゃないんだよね。「人間の不幸は、ただ一つのこと、一つの部屋に落ち着いてじっとしていられないことからやってくる」「流行が魅力を作り出す。正義を作り出すのも同じく流行だ」とか、個々の断片を面白く感じることはあるんだけど。

吉川 名言の宝庫だよね。「人間は考える葦である」をはじめとして、「クレオパトラの鼻。もしそれがもう少し小ぶりだったら、地球の表情は一変していたことだろう」といったよく知られたものから、「精神が豊かになればなるほど、独創的な人間がたくさんいることが分かる。並の人間には人々の間の差異が目につかない」のように、耳が痛いようなのまで。あるいは「哲学をばかにすること、これこそ本当に哲学することだ」なんてのも。以上、今回の塩川訳を引用してみました。下巻には、テーマ別に有名な文章をコンパクトにまとめた「『パンセ』アンソロジー」や「用語集」が収められていて、けっこう楽しい。下巻のアンソロジーから読んでみてもいいかもしれない。

山本　他方で、彼の信仰についての議論がちょっと飲み込みにくくてね。理解はできるが納得はできないというか。

吉川　ほう。

山本　パスカルは一七世紀を代表する数学者であり、いまの言葉でいえば科学者でもありました。その方面の仕事は『科学論文集』（松浪信三郎訳、岩波文庫）や『パスカル数学論文集』（原亨吉訳、ちくま学芸文庫）で読めます。で、それと同時に、要になるのは信仰だっていう話もする。これは西洋の哲学史上、さまざまに変奏されてきた理性と信仰の関係をめぐる問題でもある。ともあれ、これをどう理解すればいいのかっていうのはずっと気になっているかな。そんなわけで彼の人間論とか科学や数学についての文章はおもしろく読めるんだけど、『パンセ』の護教論はいまだうまく受け止められていないなあという感じがする。

吉川　まあ、初版タイトルの『宗教および他のいくつかの問題に関するパスカル氏の諸考察――氏の死後にその書類中より発見されたるもの』が語るとおり、そもそも信仰がメインテーマなんだもんね。キリスト教の護教論。

山本　吉川くんにとっては『パンセ』はどんな作品ですか。

吉川　まずは「幾何学の精神」と「繊細の精神」の対比にしびれるね。幾何学の精神というのは、まさに幾何学の方法に見られるように、少数の原理から世界を演繹する合理的認識の能力。それに対して繊細の精神というのは、日常世界にあらわれる複雑で微妙で多様なありかたをとらえるような、しなやかな観察眼といえばいいかな。これがパスカルにとっての哲学の方法になる。もちろんどちらも大事なんだけど、人文学／人文主義との関わりで、この対比にはいろいろと考えさせられる。

山本 しかもパスカルは、両者を兼ね備えることは難しいことだけれど、どちらかだけの精神では足りないと言いたいようだね。

吉川 それと、さっき山本くんが指摘した信仰の問題ね。パスカルは確率論の創始者のひとりでもあったわけだけど、それを信仰の問題にも適用してしまう。『パンセ』では、もし理性によって神の実在を決定できないとしても、神が実在することに賭けたところで失うものはなにもないし、むしろそれによって生きることの意味が増すじゃないか、と「論証」するんだけど。

山本 有名な「パスカルの賭け」だ。

吉川 これ、まあそう言われればそうかもしれないけど、おそらく納得できるのはすでに信仰をもっている人だけ。この論証を聞いて信仰の世界に飛び込む現代人がいるとはちょっと思えないな……。

山本 私もそのあたりに引っかかるんだよね。

吉川 とはいえ、パスカルの信仰をめぐる議論が現代ではなんの意義ももたないかというと、そんなことはない。二〇世紀にかたちを変えてよみがえった。私にとってはこれがでかい。

山本　イデオロギー論だ。

吉川　そう。二〇世紀の中盤から後半にかけて活躍したマルクス主義哲学者ルイ・アルチュセールが展開したイデオロギー論。これがほかならぬ『パンセ』から霊感を得ているんだよね。

山本　有名な「イデオロギーと国家のイデオロギー諸装置」（『再生産について――イデオロギーと国家のイデオロギー諸装置』（上・下、平凡社ライブラリー、二〇一〇年）は、いわばパスカル信仰論の現代版のような感じ。

吉川　パスカルという人は、こんな思い切った議論をする。信仰に関しては、もう合理的な議論なんてやめなさい、なにも考えずに儀式に従い、定められた身ぶりを繰り返すことで、頭を空っぽにしなさい、そうすれば信仰は自然にやってくるだろう、と。要するに、あたかも信仰をもっているかのように行動せよ、そうすれば信仰が得られるだろう、ということ。

山本　べつに心からの信仰心なんていらないわけだ。

吉川　うん。そしてアルチュセールは、これは一七世紀のキリスト教信仰にかぎらず、現代社会におけるイデオロギーの働き方でもあるんだと言う。まさに従来のイデオロギー論を塗り替えるような仕事だよね。それまではイデオロギーというと、誤った信念だとか自己欺瞞だとか、そういう認識論的・意識的・観照的な次元で否定されるべき対象だった。つまり、我々が世界を曇りなき目で見るのを邪魔する遮蔽物みたいな扱いだった。

山本 そもそも、イデオロギーという言葉のもとになった一八世紀のフランス啓蒙思想家たちの「観念学」（イデオロジー）には、必ずしも悪い意味はなかった。彼らと仲違いしたナポレオンが観念学者たちを「イデオローグ」という蔑称で非難しはじめたところから、この言葉の不幸がはじまる。

吉川 そうそう。それがパスカルに霊感を得たアルチュセールによって再びひっくり返された。いわば情動論的・無意識的・行為論的な次元でイデオロギーを扱うことが可能になった。我々は心の中でなにを思っていようとも、すでになんらかの信仰＝イデオロギーをもっている。より正確にいえば、パスカルが論じたように、日々の行為や儀式や習慣のなかにそうした信仰＝イデオロギーが物質化されている、という具合に。

山本 イデオロギーは、いわばコンスタティヴ（確認的）な次元だけじゃなくてパフォーマティヴ（遂行的）な次元でも働いていると。これは認知科学や行動経済学の知見を援用してヴァージョンアップできそうだ。

吉川 うん、できると思うし、すべきだよね。いままでは「イデオロギー」という言葉自体が忌避されているようなところがあるけれど、だからといって我々はイデオロギーを克服したわけではない。

山本 アルチュセール的に考えれば、認知的にどれだけ賢くなったところでイデオロギーから解放されるわけではないんだからね。情動的な次元でのイデオロギーの働きというものがある。

吉川　イデオロギー論の展開については、『パンセ』はもちろん、先の「イデオロギーと国家のイデオロギー諸装置」に加えて、テリー・イーグルトン『イデオロギーとは何か』（大橋洋一訳、平凡社ライブラリー、一九九九年）やスラヴォイ・ジジェク『イデオロギーの崇高な対象』（鈴木晶訳、河出文庫、二〇一五年）を読んでみてほしい。あと、あの浅田彰さんも二〇代の助手時代に「アルチュセール派イデオロギー論の再検討」（『思想』一九八三年五月号、岩波書店）なんて論文を発表しているよ。

社会的現実とともに思考する

ルイ・アルチュセール
哲学においてマルクス主義者であること
市田良彦訳、航思社、二〇一六年

山本　さて、折しもそのアルチュセールの生前未刊行だったノートが『哲学においてマルクス主義者であること』として刊行されたね。この話をしようか。

吉川　アルチュセールという人は、いろんな意味で難しいというか、なかなか一筋縄ではいかないね。書き物が難解というのもあるけれど、ほかにもいろいろと。フランス共産党における異端の理論家であり、構造主義四天王のひとり。つまりはフランス現代思想のスターだったんだけど、度重なる自己批判と思想的変転により、全体像が非常につかみにくい。さらには一九八〇年、連れ合いのエレーヌさんを絞殺して精神病院に収容され、長い沈黙へ。亡くなったのは一九九〇年。

山本　教師としての面も見逃せない。フーコー、デリダ、セール、バディウ、バリバールなんて人たちを育てた。

吉川　すごい豪華メンバー。

山本　で、この『哲学においてマルクス主義者であること』なんだけど、先にも言ったとおり、これは生前未刊行のノートを編集してまとめた本。ほとんど完成品というくらいに仕上がっていて、だいたい一九七六年に執筆されたようだね。本国フランスでは二〇一五年に刊行されている。

吉川　タイトルを口にしただけで読者に逃げられるかもしれない。まあ、どんな思想、作品にも時代の刻印というものはあるわけで、読者諸賢におかれましては、とりあえずは食わず嫌いで逃げ出さないようにお願いしたい。

山本　たはは。書名からの想像で判断しちゃうと、いい本を見逃すこともあるよね。

吉川　というのも、この本のテーマはほかでもない、「誰でも哲学することができるか?」という根本的な問題だから。

山本 時代の影が色濃く落ちているけれど、アルチュセール流の哲学入門です。社会的現実のもとで、社会的現実とともに、社会的現実に対して、いかに思考するかという。

吉川 そう。さっきのイデオロギー論じゃないけれど、時代の幻想やイデオロギーといった夾雑物と一切関係のない、まっさらな正解をくださいと言ったって、そうはいかない。そんなものを一足跳びに求めたところで、かえって最悪に凡庸なイデオロギーをつかまされることになるわけで。彼がいかにしてそうしたものと格闘したのかというドキュメントになっている。

山本 社会的現実と幻想／イデオロギーの関わりにおいて、哲学の役割を誠実に考え抜いた人です。

吉川 悲劇的なほどにね。この本もそう。まあ、あいかわらずわかりにくいところはあるけれど。

山本 もし副読本があるとしたらなにかな。

吉川 彼の思想の変化もあるから、時系列的に前後の二冊を一緒に読んでみるといいと思う。前の本としては一九六八年の『レーニンと哲学』（人文書院、一九七〇年）、後の本としては晩年の「偶然性唯物論」についての対話や手紙をまとめた『哲学について』（ちくま学芸文庫、二〇一一年）かな。とくに『レーニンと哲学』は最高！　そこからさらに一歩を踏み出そうとしたのが、この『哲学においてマルクス主義者であること』。

山本　ちなみに、いまのはあくまでアルチュセール流の哲学入門としてのセレクションだということを確認しておこうか。アルチュセールのライフワークといえばマルクスと資本論研究だからね。『マルクスのために』（平凡社ライブラリー、一九九四年）、『資本論を読む』（上・中・下、ちくま学芸文庫、一九九六―一九九七年）、『再生産について』（上・下、平凡社ライブラリー、二〇一〇年）と、日本でもほぼ文庫化されている。

吉川　そうそう、主著を忘れると怒られちゃう。その系列でも『再生産について』第1章「哲学とは何か」なんかはアルチュセーリアン哲学入門としていいかもしれない。ところで、この『哲学においてマルクス主義者であること』は、洒脱な装幀と細心の編集で非常に丁寧につくられている本だけど、版元の航思社はいわゆる「ひとり出版社」なんだよね。

山本　そう。永江朗さんのレポート『小さな出版社のつくり方』（猿江商會、二〇一六年）なんかにもあるとおり、この数年、ひとり出版社／小規模出版社の活躍がすごい。

吉川　うん。よろこばしい流れだと思うんだけど、これはどういう状況の変化によるものだろう？

山本　なんていうのかな、自分で出版社を興そうという気持ち、わかる気がするんだよね。

吉川　聞こうじゃないか。

山本　またしてもゲームの話に引き寄せて申し訳ないけれど、日本のゲーム業界って一九七〇年代くらいからはじまっているのね。これについては小山友介さんの『日本デジタルゲーム産業史』（人文書院、二〇一六年／増補改訂版、二〇二〇）にとてもよくまとめてあるから読んでもらうとして、業界が成立して四〇年かそこいら経って、規模もそれなりに大きくなり、社会的な認知度も高まり、出すゲームもそこそこヒットするようになったときに、なにが起こったか。

吉川 なんだろう。

山本 現場でゲームをつくっている側がだんだん不満を覚えるようになった。なぜかっていうと、開発にかかるお金が増えてきた分、それを回収しないといけないという圧力も強くなって、あらかじめ売れることがわかっている、あるいは想像しやすいタイトルしかつくれなくなるから。

吉川 なんとなくわかる。

山本 そうすると、これは映画史上でも起きたことだけど、ヒット作の続編をつくれ、あるいは似たものをつくれというわけで、実験的な作品がつくりづらくなってゆく。そうするとね、ほんとにつくりたい人は辞めていっちゃうんだよ。

吉川 そうだろうねえ。

山本 それで独立して小さなスタジオをつくって、インディーズレーベルのようにしてゲームをつくるようになる。とまあ、つい長くなったけれど、独立してゲームづくりをつづけた開発者たちの姿は、ひとり出版社／小規模出版社と重なるところがあるなと思ったわけ。

吉川　なるほどね。

山本　彼らの活動を見ていると、一球入魂というのかな、本当に出したい本を選び抜いて出している感じもある。

吉川　ほんとそうだね。ハード・ソフト両面でのＤＴＰ環境の整備もあって、旧弊にとらわれず小回りの利くかたちでの出版事業を営みやすくなっているのかもしれないね。

山本　人文書の場合、二〇〇〇部とか三〇〇〇部くらい読まれれば事業を回していけるだろうし。出版不況と呼ばれる現状だけれども、これはとても心強い。読者としては、こうした試みがさらに多様化してほしいし、支援したい。

吉川　そのためにも、そうやって出てきた本の価値を見出して、潜在的な読者に知らしめるような活動も大事だよね。東浩紀さんのゲンロンカフェや『ゲンロン』[2]、それにこの『ゲンロンβ』なんか、まさしくそれを行う媒体だ。

山本　まさに。

吉川　今回はこれくらいかな。

山本　うん。それではご機嫌よう。

註

1　腹部：「断片153」、『ソクラテス以前哲学者断片集』別冊、岩波書店、1998年、126頁。

熱風の管：「断片B4」、同第1分冊、岩波書店、1996年、181頁。

2　ゲンロン　二〇一〇年四月に批評家・東浩紀が創業。批評誌『ゲンロン』をはじめとする出版事業、イベントスペース・ゲンロンカフェや放送プラットフォームシラス運営など。本稿はゲンロンのメールマガジン『ゲンロンβ』に連載（二〇一六〜二〇一八）。

7

古代ローマ時代の人生相談

エピクテトス
人生談義　上・下
岩波文庫、一九五八年、鹿野治助訳／二〇二〇年～、國方栄二訳

吉川　第5回はモンテーニュの『エセー』新訳完結を祝って、第6回はパスカルの『パンセ』新訳の完結を祝いました。

山本　これからもどんどん祝っていきたいね。前回パスカルをとりあげたのは、彼がモンテーニュの愛読者でもあったから。

吉川　そうそう。今回はさらに歴史をさかのぼって、モンテーニュとパスカル共通の愛読書をとりあげてみよう。

山本　というわけで、エピクテトスの『人生談義』をご紹介します。これは非常に面白い本で、吉川くんと私がずっと愛読している本でもあります。[1] エピクテトスは、紀元一世紀から二世紀頃、ローマ帝政時代の「ストア派」と呼ばれる哲学者のひとり。出自がとても変わってる。

吉川　うん、奴隷から哲学教師になったんだよね。

山本　激動の人生！

吉川　学校を開いたところ大好評で、各地から生徒が集まったらしい。

山本　エピクテトスは、かのソクラテスと同じで書き物を残さなかったけれど、弟子たちにいろいろな教えを説いた言行録が残っている。それをまとめたものが、この『人生談義』という本。書いたのはアッリアノスという人で、『アレクサンドロス大王東征記』ほか、これ以外にもいろいろな本も書いている。

吉川　この本の成り立ちも面白くて、昔の本にありがちな数奇な運命を辿っている。もとはアッリアノスが自分の覚え書として記録したものなんだけど、それがなぜだか「流出」しちゃってさ。ネットにアップロードされたわけじゃないんだけど。

山本　うん、盛大にシェアされちゃった。

吉川　予想外の拡散に驚いたアッリアノスは、慌てて弁明の手紙を書く。これはもともと自分の備忘のために書いたようなもので、先生の言葉を直に書いた作品というわけじゃないんです、なのでそこんとこよろしく、って。そしたら今度はこの手紙がそのまま

『人生談義』の序文になった。

山本　おもしろいよね。

吉川　古代ギリシア・ローマの拡散力とまとめ力、あなどりがたし。

山本　エピクテトスの教えを仮に一言で言うとしたら、「アタラクシア」あるいは「アパテイア」を目指すことと言えるかな。どちらも心の平静という意味の古典ギリシア語。悩みから解放されて、心穏やかになるということ。

吉川　いまこそ全人類に必要なんじゃないか。

山本　ほんとだよね。肝心なことは、どうしたらそういう心境に達せるか。たとえば、人は知らないことや分からないことについて、勝手に想像を膨らませて怖がったり苦しんだりする。

吉川　人間関係のトラブルとか悩みとかはその典型だ。

山本　そうそう。でも、世界がどうなっているかを学び知れば、そうした不安や苦しみを退けて心穏やかになれる、というのがエピクテトス流の考え方であり、ストア派の発想。

吉川　大きなところから言うとそうだよね。エピクテトス先生の時代、哲学にはストア派、懐疑派、エピクロス派という三派があったんだけど、どれも心の平静を目標にしていた。アプローチの仕方が違うだけで、目指すのは同じ心の平静。

山本　つい「どんだけ生きづらかったんだよ！」と言いたくなる。でも実際大変な世だったわけだ。

吉川　うん、エピクテトスが生まれたのは、あの有名な悪徳皇帝ネロの治世だからね。たとえばエピクテトスを奴隷として雇っていた男は後に首を切られている。もちろんネロをはじめ歴代皇帝もロクな死に方をしていない。そういう物騒な時代なので、そんななか、いかに心安らかに生きられるかというのがテーマになったのは理解しやすいかもしれない。

山本　現代でもわがこととして読めるし参考になる。ただし、この『人生談義』はいろいろなことが体系立てて述べられているのではなくて、エピソード集みたいな本。端から全部要約するわけにもいかないので、勘所を選んで紹介しましょうか。

吉川　なぜ要約しづらいかというと、この本に古代ギリシア・ローマの人生相談みたいな趣があるからだよね。生徒がいろいろな相談をもってくる。あるいは先生が思考実験的に考えてそれについてしゃべる。そうした相談を通じてエピクテトスの、あるいはストア哲学の骨法が明らかになる、そんな感じ。

山本　具体的な問題が出されて、先生がズバっとそれに答える形をとっている。いまでいうとなんだろう、まさに人生相談。

吉川　中島らもみたいなね。

山本　そうそう。古いところだと『大正時代の身の上相談』（カタログハウス編、ちくま文庫、二〇〇二年）みたいなのもあった。

吉川　『人生談義』に寄せられた相談としては、たとえば、「先生、どうして私が首を切られなければならないのですか」なんてのがある。

山本　ぎょっとする相談。死刑に処されるところとか、カフカの小説で主人公が訳も分からず裁かれて殺されちゃう場面とか思い出すね。不条理。

吉川　極端といえば極端な例だけど、世が世だけにけっこう切実だった。恐怖政治とか秘密警察の時代と言ってもいいかもしれない。いつ捕らえられて、そういうことにならないとも限らない。そういう状況で発せられた言葉。

山本　これに対してエピクテトス先生は、「じゃあ、みんなが首を切られたらいいと思うのか?」と応えている。

吉川　身も蓋もない。でも、彼はふざけたり突き放しているわけではないんだよね。これはむしろ修辞疑問と読んだほうがよいかもしれない。つまり、「みんなが首を切られたらいいかって、そんなことはないだろ?」と言っている。

山本　要するに、いまそんなことを思い悩んでも、ばかげた結論にしかならないと。

吉川　うん。そもそも本当に刑場に引っ立てられてる途中だったとしたら、できることといえばせいぜい誇り高く最期を迎えることくらいだし。もし逃げられるなら逃げればいいけどさ。

山本　エピクテトス先生のいろいろなアドヴァイスを見ていくと、そこにはひとつの考え方が通底しているのが見えてくる。訳書では「権内」と訳されているのがそれ。自分がコントロールできることという意味。対となる言葉は「権外」で、自分がコントロールできないこと。たとえば、天変地異みたいなことは権外にある。自分にとっての権内と権外をちゃんと見極めることが大事だというのがエピクテトス先生の言いたいことです。これは古びることのない普遍的な考え方だよね。

吉川 今風に言えば、できることはできる、できないことはできない。

山本 そう。

吉川 ものすごい簡単なことを言っているようにも見える。当たり前のようだけれども、でも、エピクテトス先生のポイントは、人はともすればできることとできないことをごっちゃにしてしまうということ。そしてこの混乱こそがいろいろな悩みの根源にあるということ。

山本 まさに。だから無駄に思い悩まないためには、これは果たして権内なのか権外なのかと吟味することがたいそう重要になってくる。だけど、吉川くんが言ったように、実は言うほど簡単じゃない。

吉川 実際それで人生のすべての悩みが片付くとか、そういう新宗教的な話ではないんだよね。なにか自分が混乱してるなとか、悩んでいるときに、常にそこに立ち返る、そういう原理みたいなものとして理解するといいと思う。自分にはなにができるだろうってことを、自分は案外知らないかもしれないから。ちょっとスピノザっぽくもある。

山本 応用編としては、自分が分かっていること／分かっていないことなんていうのも、この話につながっている。現在の情報環境のなかで、ともするとデマに踊らされちゃうといった身近なことにも関連している。

吉川　自分の責任じゃないことに責任を感じたりといったこともそうだね。

山本　そうそう。冒頭で述べたように、世の中がどれほど乱れていようが、心穏やかに生きるための指針のひとつにできる。そういう哲学なのです。

吉川　邦訳について述べておくと、先日ついに『人生談義』の新訳が刊行されました（上巻、二〇二〇年一二月）。ある種、二〇〇〇年前の元祖自己啓発みたいなところもあって興味深いので、ぜひ手にとってみてください。

山本　この本は後世にもいろんな影響を与えています。最初に言ったように、モンテーニュやパスカルも愛読者だった。日本でも明治大正期によく読まれた痕跡がある。夏目漱石の『吾輩は猫である』でも、主人公の苦沙弥先生の書斎にこの本があると猫が報告してる。

吉川　『人生談義』上下巻を全部読むのが大変だという人は、ヒルティの『幸福論』[2]もいいね。同書の上巻にはその名も「エピクテトス」という章があって、『人生談義』のダイジェストとコメントが載っている。ヒルティの『幸福論』といえば、若い人は知らないかもしれないけれど、世界三大幸福論[3]としてラッセル、アラン、ヒルティというくらいだから、ひょっとしたらお父さんやお母さん、お爺ちゃんやお婆ちゃんの本棚にあるかもしれないよ。

世界をどう捉えるか――物体と非物体

エミール・ブレイエ
初期ストア哲学における非物体的なものの理論

江川隆男訳、月曜社、二〇〇六年

吉川　さて、今回はストア哲学について話しているわけだけれど、ストア派にはそれなりに長い歴史がある。紀元前三世紀頃にはじまったとして、エピクテトスやマルクス・アウレリウスは紀元後の人だから、四〇〇〜五〇〇年続いているんだよね。

山本　一口にストア派といってもさまざまな論者がいて、たくさんの本が書かれたみたい。なんだけど、後期ストア派と呼ばれるエピクテトス、セネカ、マルクス・アウレリウスのように本が伝存しているケースを除くと、ほとんどが散逸してしまったらしい。断片的に残された初期ストア派の文章は、現在では京都大学学術出版会の西洋古典叢書の『初期ストア派断片集』全五巻にまとめられています。さらに知りたい人には貴重な資料。

吉川　その初期ストア派の代表者にクリュシッポスという人がいて、ストア派の思想を体系立てたと言われている。今回二冊目として紹介したいのは、この人の哲学を研究した

山本　エミール・ブレイエの『初期ストア哲学における非物体的なものの理論』。書名からしてとても難しそう。

実際これは骨のある本だよね。ブレイエという人は、一九世紀後半から二〇世紀前半に活動したフランスの哲学者で、プロティノスの翻訳や哲学史の本で知られています。

吉川　日本では本書の他に『哲学の歴史』（全三巻、筑摩書房）や『現代哲学入門』（岩波新書）などが翻訳されている。

山本　さて、この本だけれど、まずとても大きな前提を話すと、ヨーロッパの哲学には「この世界はなにからできているのか」という大きな問題と格闘してきた長い歴史があります。ごく簡単にいえば、一方には世界はすべて物体（物質）で説明できるという発想と、世界を説明するには物体だけじゃ足りなくて非物体的なものもあるという二元論がある。

吉川　たとえば、ソクラテス以前のタレスたちの「世界は水からできている」というのは物体による説明だね。唯物論的といってもいい。

山本　他方でプラトンのイデア論のように、個別の事物の背後にはそれらに共通するイデアなるものがあると考えた人もいた。

吉川　ストア派は、基本的には唯物論で、「すべての存在者は物体である」と考えている。魂や思考のようなものまで物体だというんだよね。

山本　そうそう。おもしろいことにブレイエは、そんな彼らの哲学のうち、物体に収まっていない部分に注目して、そこからストア派哲学の特徴をあぶり出している。

吉川 それが書名にある「非物体的なもの」。ストア派のすごいところは、構えとしては唯物論なんだけど、同時に「出来事」という、物体とは言えないが重要ななにごとかを位置づけようとしているところ。

山本 これはわれわれが『心脳問題』（朝日出版社、二〇〇四年、三十四頁参照）で検討したことでもありました。

吉川 ナイスバーディ問題という例で述べたやつだね。ゴルフのプレイ中、グリーン上でバーディパットが決まったとき、「ナイスバーディ！」となるわけだけど、このバーディは果たして物体的に説明できるか。たしかにパットで力を加えられ、芝の上を転がってカップの底に沈むボールの動きは物体の動きとして記述できる。でも、バーディという出来事は物体的なものではない。かといって、プラトンが想定したイデアのように物体から独立して存在するものでもない。

山本 ブレイエが挙げている例でいうと、ナイフで肉を切るという状況がある。ナイフと肉はそれぞれ物体で、ナイフが肉に触れて切る。けれども、このとき生じている「切られる」ということ自体は物体ではないと言う。

吉川 出来事としか言いようがない。思うにラディカルな考え方だよね。唯物論でほんとうに物体だけですべてを説明しようとすると、「切られる」という出来事はないことになっちゃう。かたやプラトン流の見方だと、イデアみたいな非物体的存在が、物体のようにあるという形になる。これはこれで背理に陥る。

山本　出来事は、言語でいうと動詞で捉えるしかない。後から見れば痕跡しか残らないかもしれない出来事をどう捉えるかという関心でもあるね。唯物論やイデア論は、どちらかというと不変のものに基礎を置いた静止した世界の見方。これに対して、ストア派の発想は、物体を土台としながらも生物を典型とする変化や動きをも捉えようとしている。

吉川　そう考えると、後のベルクソンの『物質と記憶』なんかともつながるアプローチの仕方。彼が考察した運動も、物理主義で空間に還元すると失われるし、かといってベタな二元論では贋物をつくることになってしまう。そうじゃなくて、我々が運動という形で経験していることを、いかに正当にそれそのものとして遇することができるか。これがベルクソンの考えたことで、ストア派の出来事の考察に近い。

山本　ブレイエはこの本で、ストア派がそういう「出来事」、非物体的なものを扱っていることに注意を向けている。今回述べたことの他にも、意味（表現可能なもの）、空虚、時間、場所が非物体的なものとして考察されています。

吉川　彼は非物体的なものごとのあり方を「出来事」や「事実」と呼んだり、物体の「表面」というレトリックで言い表してもいるね。これは後にドゥルーズや蓮實重彥の仕事にも効いてくる。

山本　単に古い時代の哲学の学説というのではなくて、先ほど述べたように、この世界をどう捉えうるかという古くて新しい、いまでは自然科学が主に取り組んでいる問題や、あるいは存在や動きや変化を言葉でどう捉えられるかという、言語学だけでなく文芸や人工知能のような技芸術にまでおおいに関わる発想なんだよね。そういうものと重ねながら読むといっそう面白い。

吉川　うん、現代的な問題でもある。先に触れたベルクソンの現代的解釈としては、『ベルクソン「物質と記憶」を解剖する——現代知覚理論・時間論・心の哲学との接続』（平井靖史、藤田尚志、安孫子信編、書肆心水）というベルクソン論集がこのあいだ出たね。[4]

山本　二〇一五年に行われた国際シンポジウムの記録。これは楽しみ。

吉川　われわれの常識的な自然発生的哲学（アルチュセール）は基本的に唯物論か二元論しか認めないようなところがあるけれど、たまにはストア派的な物体的なものやベルクソン的な運動の概念にも思いをはせていただきたいね。

山本　今回はこのへんで、ご機嫌よう。

吉川　また次回！

註

1　二〇一七年三月より山本と吉川の連載「賢人エピクテトスに学ぶ人生哲学——人生がときめく知の技法」がWebちくまでスタート。二〇二〇年三月、同連載を共著『その悩み、エピクテトスなら、こう言うね。——古代ローマの大賢人の教え』（筑摩書房）にまとめる。

2　『幸福論』　スイスの哲学者で法律家でもあるカール・ヒルティの代表作。キリスト教の倫理観が下敷きにある。邦訳は岩波文庫全三冊、白水社全Ⅲ巻など。「エピクテトス」の項はいずれも第一巻に収録。

3　世界三大幸福論　フランスの哲学者、アラン（一九二五）、スイスの法学者・思想家ヒルティ（カール・ヒルティ、一八九一―九九）、イギリスの哲学者ラッセル（バートランド・ラッセル、一九三〇）の「幸福論」を指す。カッコ内は発表年。

4　書肆心水のベルクソン論集は三作で完結。
『ベルクソン『物質と記憶』を解剖する――現代知覚理論・時間論・心の哲学との接続』（郡司ペギオ幸夫、河野哲也、B・デイントンほか著、二〇一六年）
『ベルクソン『物質と記憶』を診断する――時間経験の哲学・意識の科学・美学・倫理学への展開』（檜垣立哉、兼本浩祐、B・デイントンほか著、二〇一七年）
『ベルクソン『物質と記憶』を再起動する――拡張ベルクソン主義の諸展望』（村上靖彦、三宅陽一郎、B・デイントン、F・ヴォルムスほか著、二〇一八年）。
いずれも平井靖史・藤田尚志・安孫子信編。

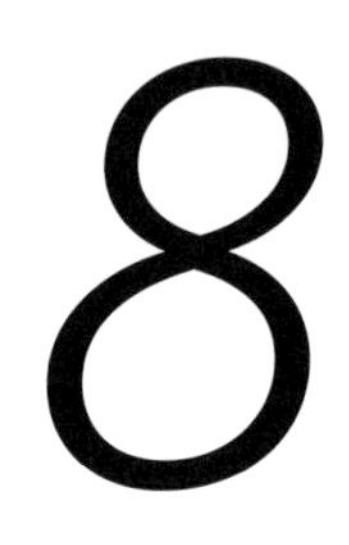

幸福に関する「なに」「いかに」「なぜ」の問い

青山拓央
幸福はなぜ哲学の問題になるのか
太田出版、二〇一六年

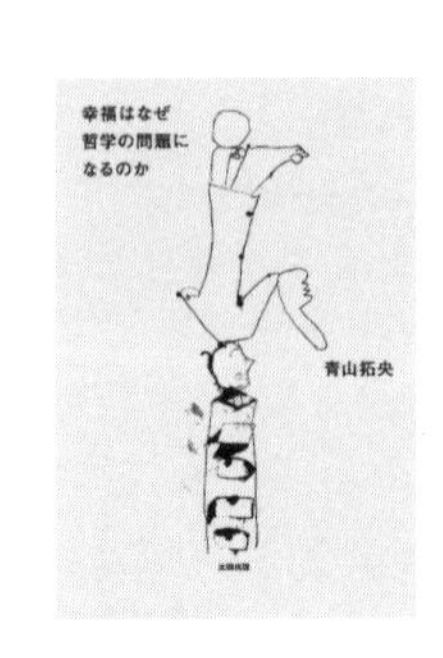

山本　前回はエピクテトスとブレイエをとりあげました。

吉川　ストア派特集。

山本　彼らが共通して考えたのは、幸福になるにはどうすればよいかという問題だった。彼らはそれを心の平静として考えた。

吉川　そこで今回は、幸福について書かれた最新の哲学書をとりあげようか。九月に出た青山拓央『幸福はなぜ哲学の問題になるのか』（太田出版）。

山本　いいタイトルだね。イアン・ハッキングの『言語はなぜ哲学の問題になるのか』（勁草書房）を思い出す。

吉川　シリーズ化できそう。「〜はなぜ哲学の問題になるのか」。なにしろ物事が成り立っている条件を再検討してみるのが哲学の仕事でもあるからね。なんでも来いだよ。

山本　どんと来い、超常現象！

吉川　古っ！　てか、あれは物理学者でしょ。それ以前にテレビドラマの話だし。

山本　気になる人は「トリック」と「上田次郎」で検索してみてね。

吉川　もっとも、超常現象に悩まされたり心配している人にとっては……。

山本　「私に言わせればすべてのホラー現象はホラに過ぎない」（上田次郎）。

吉川　そうそう、それがただのホラとか思い込みに過ぎないと分かるのも、一種、心の平穏だよね。って、そのネタさらに引っ張る？

山本　妖怪博士・井上円了なんかも、哲学で憑き物落としをした名手だったよね。

吉川　まだ引っ張るか。まあ、哲学的な思考が、思い込みやそこから生じるかもしれない不安を緩和するのは確かだよね。三浦節夫『井上円了――日本近代の先駆者の生涯と思想』（教育評論社）という浩瀚な評伝も出た。

山本　話を戻すと、幸せ、幸福とはなにか。難問だよね。誰もが幸せになりたいと思うものの、どうしたらなれるのかは一概に言えない。幸せにはいろんな形があって、誰かの幸せが私にとっての幸せとは限らない。てなことは、誰もが知っているところ。

吉川　昔から哲学者たちによって、いろんな幸福論が説かれてきたし、いまではたくさんの自己啓発書が幸せな自己実現のためのヒントを教えている。

山本　こうした本が後を絶たないということは、裏返せば、いつまで経っても幸福について「これ」という決定的な処方箋がないからとも言えるね。

吉川　でも、どうしてそうなのか。これはなかなか厄介な問題。青山さんの本はこの問題を哲学的に探究している。哲学といえば、ものの役に立たない空理とか、難しいという印象を持つ人もいるかもしれないが……。

山本　心配はご無用。丁寧に読めば、読者が自分でも考えながら読めるように書かれています。え、そんなの当たり前じゃないかと思うかもしれないけれど、これがけっして当たり前でないのは、書店の哲学書コーナーに行って、適当な本を取り出して読んでみると分かる。

吉川　そうそう。その点、本書は構成からしてよく練られている。全体が大きく三部に分かれていて、まず第一部では、アリストテレスとラッセルの幸福論を手がかりに問題の基本的な形を整理した上で、さらに現代哲学（分析哲学）の観点から問いを深めている。

山本　ある人にとっては幸せなことが、第三者には不幸せに感じられることもあるし、幸せは人によって多種多様。では、そうした幸福というものには、どんな共通点や構造があるのか、と。いわば幸福とはなにかという基礎について論じるわけだ。

吉川　次の第二部では、個別具体的な幸福が扱われる。健康、お金、仕事、結婚、成功といった身近なことがらについて。これはいかに幸福になるかという問題だね。ユニークなのは小さな子どもたちに向けて書かれた章。この込み入った議論を子どもたちに伝える形で書くのは、とても難易度の高い仕事。

山本 そして第三部では、なぜ幸福であるべきかという、さらに難しい問題が論じられる。

吉川 全三部を通して、幸福に関する「なに」「いかに」「なぜ」の三つの問いに答えるという体裁になっている。

山本 そこで青山さんは「共振」という概念を提示している。

吉川 あれはおもしろいね。哲学においては、なにかについて論じられるとき、あらゆるそれに共通した性質とはなにか？ と問うことが多いじゃん。幸福なら、幸福を幸福たらしめているものはなにか？ とか。

山本 完璧な定義を追求するソクラテスの方法だ。でもそれではうまくいかない。そもそもそんな風に定義できないというところから幸福論の問題は始まっているんだから。哲学者たちはこれを「ソクラテスの誤謬」と呼んだりする。

吉川 うん。幸福には、たとえば「快楽」、「欲求の充足」、そして安全性や財産といった「客観的な良さ」という三要素があるとする（従来の幸福論はだいたいこれらの三要素でできている）。それぞれはなんらかの仕方で似通っているんだけど、かといって共通の性質があるわけでもない。

山本 まさにウィトゲンシュタインのいう「家族的類似性」だね。青山さんは、この家族的類似性をいったん受け入れた上で、それを共振性というところから解釈しようとしている。

吉川　彼はそれらの三要素のうち全部、あるいは複数がしばしば同時に実現することに着目する。しかも、たまたま同時に実現するんじゃなくて、同時に実現しやすいこと、ある種のまとまりを持っていることに注目するんだね。それが共振性だと。

山本　うん。そしてこれら三要素の「共振」から幸福というものを捉えなおしてみようというのが本書の提案。

吉川　これは幸福に限らず、さまざまな概念に適用したくなる手法だね。ソクラテスとウィトゲンシュタインをアップデートした第三の方法。興味深い。

山本　あと、本連載として見逃せないのは、人文学についての青山さんの見方。彼は、人文学の仕事のなかには概念を精緻化したり刷新することが含まれていると指摘している。

吉川　そうそう。概念なんて学者にしか関係ないと思ったら大間違い。

山本　日常生活でも、私たちはたくさんの概念のお世話になっている。青山さんが挙げているのは、たとえば「社会」という概念。これ、いまでは誰もが使う言葉だけれども、明治の初め以来、人文学的な試行錯誤を経て、いま私たちが使うような概念として鍛え上げられてきたというわけ。

吉川　なんの気なしに使っている概念も、ただでつくられたものではない。

山本　幸福について考える上でも、いま自分が安全安心に日々を暮らせているとしたら、それは誰のどのような仕事の上に成り立っているかと想像したり考えてみることは重要だと思う。そういえば、吉川くんの『理不尽な進化――遺伝子と運のあいだ』（朝日出版社）も言及されていた。[2]

吉川　ありがたい。

山本　もともと青山さんは、『新版 タイムトラベルの哲学』（ちくま文庫）、『分析哲学講義』（ちくま新書）と、本格的な論考も入門的なガイドも自在に書ける人で、われわれもかねてから注目していました。

吉川　うん。そこへ来て今回の『幸福はなぜ哲学の問題になるのか』は、いわば両者を掛けあわせたようなスタイルで。有望な書き手の新展開という意味でも要注目です。

山本　そして一一月には、超本格的な論考『時間と自由意志――自由は存在するか』（筑摩書房）が出た。これは一〇年をかけたという力作で、博士論文がベースとなっている。じっくりと取り組みたい哲学書だね。

夢破れた国の幸福論

スヴェトラーナ・アレクシエーヴィチ
セカンドハンドの時代
――「赤い国」を生きた人びと

松本妙子訳、岩波書店、二〇一六年

吉川　今回とりあげる二冊目は、スヴェトラーナ・アレクシエーヴィチ『セカンドハンドの時代――「赤い国」を生きた人びと』（岩波書店）。

山本　アレクシエーヴィチさんは二〇一五年にノーベル文学賞を受賞して改めて注目されたね。つい先日、来日してもいた。この本は、『戦争は女の顔をしていない』（岩波現代文庫）、『ボタン穴から見た戦争』（岩波現代文庫）、『アフガン帰還兵の証言』（日本経済新聞社）、『チェルノブイリの祈り』（岩波現代文庫）に次ぐ「ユートピアの声」五部作の完結篇。

吉川　本書は、一九九一年に崩壊したソヴィエト連邦に暮らした人びとの生活と意見を、ソ連崩壊直後からの長年にわたる聞き取りによって浮かび上がらせた作品。邦訳で六〇〇頁を超える、たいへんな力作だよ。

山本　来年はロシア革命から一〇〇年のメモリアルイヤーでもある。

吉川　この本をとりあげた理由もまさにそれで、ソヴィエト連邦の建設こそ、国家あるいは世界規模で人間の幸福を目指した巨大な実験であったと考えてのこと。帝政ロシアを倒して、共産主義の理想の下、人民が主役となる国家を建設しようとしたわけで。

山本　それが、むしろ人民を抑圧する警察国家になってしまった。ソ連はときに諸外国の知識人たちの目には理想郷と映ったこともあったようだけれど、実際にはソルジェニーツィンが『収容所群島』（新潮文庫）に描いたように、巨大な収容所国家と呼ぶしかない代物だった。

吉川　本書にも多数の証言が集められているね。すべてが否定的なものではないにしても、恐怖や悲惨に彩られた生々しい記憶が、もう紙面から溢れださんばかり。

山本　たとえばこんな言葉がある。

——外に出て、なにかしたいという気が少しもおきない。なにもしないほうがましだ。善も、悪も。今日善だったことが、明日は悪になるんだからね。

——いちばんこわい人間、それは理想主義者だ。

——わたしは祖国を愛してるけど、ここに住む気にならない。ここにいたんじゃわたしが望むようなしあわせな人間にはなれないもん。[3]

吉川　歴史の表舞台に出ることの少ない人びとの声だよね。大きな歴史の記述の隣には、いつもこうした人びとの具体的な証言を並べておきたい。

山本　そうしないと、われわれはすぐ大きな主語で語り、ともすればどこにも実在しないものごとについて、自分ではそれと気づかないうちに本当のことのように信じ込んでしまいかねない。そんなお題目（イデオロギー）だけが先に立てばどうなるか。本書はその顚末を教えてくれてもいる。

吉川　ロシア文学者の沼野充義さんが本書の書評で、「日本でこれに匹敵するものとしては、石牟礼道子『苦海浄土』（藤原書店）くらいしか思い浮かばない」と言っていたけれど、[4]ほんとそうだ。

山本　こうした人びとの記憶を語る声は、社会学者の岸政彦さんの仕事にも通じるものがあるね。『街の人生』（勁草書房）、『断片的なものの社会学』（朝日出版社）は、まさにそんな仕事だ。

吉川　そういえば岸さんは「人生最高の一〇冊」という企画でアレクシエーヴィチの『戦争は女の顔をしていない』を挙げていたね。[5]たしかに通じるものがある。

山本　二〇一五年に与えられたノーベル賞の授賞理由は「多声からなる著作は私たちの時代の苦悩と勇気の記念碑である」というものだったけど、まさにそのとおりの作品だね。

吉川　ところでもう一冊、ソ連の崩壊で思い出したのが、ドミートリー・オルロフ『崩壊5

段階説——生き残る者の知恵』（新評論）。

山本　すごいタイトル。

吉川　うん。著者のオルロフは、一九六二年に旧ソ連のレニングラードに生まれて、一二歳のときにアメリカに移住したエンジニアで、ブログや本を書いたりする作家でもある。彼がブログ「ClubOrlov」に書いたエッセイに加筆して本書ができた。

山本　ユニークな本だよね。

吉川　うん。著者名とタイトルを見たら、ソ連崩壊の際の自身の経験を綴った本だと思うかもしれないけれど、さにあらず。彼は一九七〇年代にはアメリカに移住しているので、ソ連崩壊を直接経験したわけではない。

山本　もともとオルロフが有名になったのは、祖国ソヴィエトの崩壊を受けて——ここがまさにユニークなところなんだけど——アメリカの崩壊について語った論考や記事によってなんだよね。先に崩壊した超大国ソ連と残った超大国アメリカの特徴を比較分析して、アメリカに予期される崩壊を論じた。

吉川　そして本書ではさらに進んで、現代文明の崩壊とはなにか、それにどう対策するかという一般理論を構築しようとしている。

山本　議論の出発点には「ピークオイル論」がある。世界で産出されるエネルギー資源（石油）は一度ピークに達した後は枯渇まで減少の一途をたどるというもの。今世紀半ばにはピークが来るとも言われている。で、崩壊への処方箋として「家族の再生」が説かれる。出発点に関しても処方箋に関しても賛否は保留したいところなんだけど（笑）、興味深い議論であることは間違いない。

吉川 彼の崩壊五段階説によれば、崩壊の機序はこんな具合。1．金融の崩壊、2．商業の崩壊、3．政治の崩壊、4．社会の崩壊、5．文化の崩壊。つまり、資源の供給が減少して生産活動が縮小すると、金融危機がさらに拡大し、そのダメージが商業へと広がり、悪化する経済状況が喚起するナショナリズムが政治において専制を生み、専制の腐敗と疲弊によって社会の紐帯が失われ、最終的には人間らしさの喪失とも言える文化の崩壊へと段階が進んでいく、と。

山本 まさに崩壊の段階説だ。

吉川 文明や国家といったレヴェルだけでなく、自分が属する企業や組織にあてはめて考えてみてもおもしろいかもしれない。

山本 ちょっと逆説的な言い方になるけれど、サブタイトルの「生き残る者の知恵」にあるように、崩壊しつつあるシステムのなかでどのように生き延びるかを説いた、一種の幸福論と読むこともできる。

吉川 そんなわけで、年末年始の読書は幸福論で決まりだね。

山本 ご機嫌よう。よいお年を。また来年！

註

1 「トリック（ＴＲＩＣＫ）」はテレビ朝日系列で放映された日本のテレビドラマ。二〇〇〇年〜。売れないマジシャン山田奈緒子と物理学者の上田次郎が超常現象のトリックを暴き、事件を解決していく。『どんと来い、超常現象』『なぜベストを尽くさないのか』は物語中に登場する上田の著作。作品の人気から実際に学習研究社から刊行された。

2 『幸福はなぜ哲学の問題になるのか』一五〇頁。

3 スヴェトラーナ・アレクシエーヴィチ『セカンドハンドの時代――「赤い国」を生きた人びと』松本妙子訳、岩波書店、二〇一六年、三七六－三七七頁。

4 沼野充義・評『セカンドハンドの時代』（スヴェトラーナ・アレクシエーヴィチ著）毎日新聞「今週の本棚」
http://mainichi.jp/articles/20161002/ddm/015/070/040000c

5 「社会学者・岸政彦がセレクト！「人生最高の10冊」の共通点とは（週刊現代）」講談社現代ビジネスWeb
http://gendai.ismedia.jp/articles/-/49616

9

インディーズでサヴァイヴする！

荒木優太
これからのエリック・ホッファーのために
——在野研究者の生と心得
東京書籍、二〇一六年

吉川　二〇一六年一二月七日、斎藤哲也さんとわれわれの三人で、二〇一六年の人文書を振り返るというトークイヴェントをゲンロンカフェでやったんだよね。

山本　僭越にもほどがあるけど、「『人文的、あまりに人文的』な、2016年人文書めった斬り！」と題した鼎談だった。[1]

吉川　楽しかったねえ。

山本　というわけで、人文書について話したいことはあらかたそこで話したので、この対談もたまにはお休みしてもいいんじゃないかな。

吉川　……思わず同意しそうになったじゃないか。編集部によれば、われわれのこの連載、楽しみにしてくださる読者もいるらしいよ？

山本　ほんとかな。まあ、それがたとえおひとりだとしても、その人のためにがんばるか。

吉川　ポジティヴなのかネガティヴなのかわからないけど、殊勝な心がけではある。そういうわけで、今回は二〇一六年を振り返るという感じで、トークイヴェントで話しきれなかったことを話そうかね。

山本　先ほどの鼎談についてもう少し補足すると、印象に残った二〇一六年の人文書をわれわれ三人が冊数の制限なくリストアップして、そこからさらに各人がベスト二〇を選びました。

吉川　斎藤さんと私が一〇〇冊ずつくらいで、山本くんは何冊挙げてたっけ。

山本　二八〇冊くらいかな。

吉川　多いよ！　まあ、そうやって都合四八〇冊くらいのリストをつくった。三人が重複して挙げているものもあったけど。

山本　ベスト二〇も何冊か重なっていた。

吉川　そこで、これも僭越以外のなにものでもないし、選ばれたからといってなんの栄誉にもならないだろうけど、われわれ三人で二〇一六年の「人文〈的〉大賞」を選ばせてもらったのでした。

山本 紀伊國屋書店が毎年開催している「じんぶん大賞」にあやかった。

吉川 それで三人のベスト二〇に共通して挙げられていた著者を見てみたら、三人いたんだったね。

山本 そうそう。青山拓央さん（『幸福はなぜ哲学の問題になるのか』『時間と自由意志』）、荒木優太さん（『これからのエリック・ホッファーのために』）、互盛央さん（『日本国民であるために』）。この三人が「人文〈的〉大賞」のベスト3ということになった。

吉川 うん。青山さんの『幸福はなぜ哲学の問題になるのか』については、前回俎上に載せたところ。せっかくなので、今回は荒木優太さんと互盛央さんの二冊について話してみようか。コレエリとコクアル。

山本 そこ略すのか。荒木優太さんといえば、ちょっと忘れられないエピソードがあったよね。

吉川 忘れられないね。二〇一五年の暮れのこと。紀伊國屋書店が主催する「じんぶん大賞二〇一六」のプレイヴェントがあって。そのときも先ほどお名前を挙げた斎藤哲也さんとわれわれの三人で同賞のノミネート作品について公開で議論したのでした。あれが楽しかったから、先日のゲンロンカフェにも斎藤さんをお呼びした次第。

山本 その年は岸政彦さんの『断片的なものの社会学』（朝日出版社）が受賞。

吉川 その前の年は東浩紀さんの『弱いつながり――検索ワードを探す旅』（幻冬舎）。これは先頃文庫にもなった。杉田俊介さんの熱い解説が付いた文庫版もおすすめです。

山本 それで話を戻せば、じんぶん大賞プレイヴェントでトークが終わったあとの質疑応答の時間だったね。

吉川 うん。「なにかご質問は？」と客席に投げかけたら、最前列にいた坊主頭の青年が手を挙げて。

山本 マイクを渡したら開口一番、「私、来年に本を出すんですが！」と。

吉川 一瞬、会場が凍りついたよね。質疑応答タイムによくある、ちょっとアレな人の演説が始まるのかと。

山本 うん。でも質問内容はいたって真っ当で、本を刊行するにあたってなにかアドヴァイスはあるかというものだった。それに吉川くんが愛のこもった回答をして。

吉川 一転して会場がほんわかとアットホームな雰囲気に包まれた。

山本 あとでわかることだけど、その本というのが、ほかならぬ『これからのエリック・ホッファーのために』だったわけだ。

吉川 後の荒木優太である。

山本 後もなにもずっと荒木優太さんでしょう。というか、なんで急にナレーターみたいになってるの。

吉川 コレエリ誕生の瞬間である。

山本 いやいや、あの時点ですでに書き上がってるから。

吉川　ともかく、いい本だよね。

山本　うん。過去の在野研究者たちの肖像に触れる読み物として面白いし、なにより一貫してポジティヴな姿勢で書かれていて、励まされる。まず書名にあらわれるエリック・ホッファーの説明が必要かな。

吉川　荒木さんの本の冒頭でも紹介されているけど、エリック・ホッファーというのは、労働者として働きながら論文や本を書いた人。六〇代で大学教授になるまでは、アカデミーや大学に所属せずに知的な活動をつづけたんだよね。一九〇二年にニューヨークに生まれて、一九八三年に亡くなっている。

山本　ホッファーは長いこと「沖仲仕（おきなかし）」という港で船の積み荷を運ぶ仕事をしていた。私はホッファーの本を読んで沖仲仕という言葉を知ったな。『波止場日記——労働と思索』（みすず書房）や『大衆運動』（紀伊國屋書店）、『エリック・ホッファー自伝』（作品社）ほか、日本語に訳されている本も多い。そういえば、彼もまた第5回でも取り上げたモンテーニュの『エセー』を愛読した人だった。

吉川　この連載をお読みのみなさんにもぜひ読んでほしいよね。荒木さんは、在野で知的な活動をつづけた人物の代表としてホッファーを参照している。

山本　「在野」という言葉はもともと文字通り「野外にいる」という意味だけど、転じて「公職につかない」という意味もある。現在では、学術や研究といえばもっぱら大学や企業に代表される研究機関に所属した専門家が行うものというイメージが強くて、それ以外の場所や立場を「在野」と呼んだりする。英語ではindependent scholar（独立研究者）が対応する語かな。

吉川　インディーズだ。歴史を眺めると、学術がいつでもいまのようだったわけじゃないんだよね。

山本　いまみたいな大学が確立する前は、日本なら江戸の学問所や藩校、それ以前なら貴族やお坊さんが主な担い手だったりして。

吉川　ヨーロッパでも、現在ならアマチュア（愛好家）と呼ばれるような、大学人ではない人たちが科学研究に取り組んでいた時代があった。ヘンリー・キャヴェンディッシュとかマイケル・ファラデーとかね。キャヴェンディッシュはお金持ちで、自宅の施設で研究した人。ファラデーはもともと製本屋で働いていた人で、後に王立研究所で科学研究にいそしみながら数々の業績をあげているね。もっとも現代のようなビッグサイエンスが主流になる前の、その基礎をつくった時代のことだけれど。

山本　そういう状況では、いったいどこが「野」なのか分からないとも言えそう。

吉川　荒木さんの本は、そうした背景も踏まえながら、いま現在の日本の学術や研究をめぐる状況を前提としている。必ずしも大学のような場所に属さず、自分で研究をするにはどういうやり方があるかを考えてみようというわけだね。

山本　具体的には、一六人の在野（独立）研究者たちについて、その略伝とともに、どんなふうに研究したかが綴られています。

吉川　内訳をそれぞれの人の研究領域とともに並べるとこんな具合。

三浦つとむ（哲学・言語学）
谷川健一（民俗学）
相沢忠洋（考古学）
野村隈畔（哲学）
原田大六（考古学）
高群逸枝（女性史学）
吉野裕子（民俗学）
大槻憲二（精神分析）
森銑三（書誌学・人物研究）
平岩米吉（動物学）
赤松啓介（民俗学）
小阪修平（哲学）
三沢勝衛（地理学）
小室直樹（社会科学）
南方熊楠（民俗学・博物学・粘菌研究）
橋本梧郎（植物学）

山本　知ってる名前もあれば、はじめて見かける名前もあると思うけれど、気になるところから拾い読みしてみてもいいね。

吉川　それだけでなく、それぞれの人物のやり方から「在野研究の心得」という実践知、独学をする際に気をつけるとよいポイントを抽出して、その気になれば自分でも応用できる仕組みにもなっているという気の利かせよう。

山本　例えば「発表に困ったときは自分でメディアをつくってみる」のように、いまなら道具立てでも豊富で取り組みやすい心得もあれば、「在野では独断が先行しやすい」といった陥りがちな罠の指摘もある。それにしても、こうした研究者たちの姿に触れてみると、いかに自分が面白く思えたり、やりがいを感じられる問いを持つかが重要だと改めて痛感する。

吉川　それこそが制度と距離をとりながら研究する醍醐味でもあるからね。

山本　もうひとつ、先に言うべきだったかもしれないけれど、著者の荒木優太さんご自身が近代日本文学、有島武郎を専門とする在野研究者で、それだけに単なる列伝とはまたちがう切実さも感じられる。

吉川　いってみれば、どうやって研究を営みながら生きるか、もうちょっとオオゲサにいえば、どうやってサヴァイヴするかという課題に、彼自身が向き合っている。

山本　最後に掲げられた心得「この世界には、いくつもの〈あがき〉方があるじゃないか」

というのは、ご本人も書いておられるように、本書が伝えようとしている中心的なメッセージ。

吉川 まさに、これから現れるかもしれないエリック・ホッファーたちへの励ましの言葉だ。

山本 過去の事例を眺めながら、未来への展望を拓くための本といってもよい。

吉川 こんな言い方をしたら少し砕きすぎかもしれないけれど、研究とまではゆかずとも、知的好奇心を保ってひとりで、あるいは誰かと協力して楽しむ技法を教えてくれる本として読んでもいいと思う。

山本 この本を読んで在野研究者や独立研究者というあり方に興味が出た人は、鹿野政直『近代日本の民間学』（岩波新書）や、鹿野政直、鶴見俊輔、中山茂編『民間学事典』（事項編、人名編、三省堂）も参考になるでしょう。

吉川 荒木さんの著書としては『小林多喜二と埴谷雄高』（ブイツーソリューション）がある。最近、「柄谷行人と埴谷雄高」（『草獅子』）、「きみはウーティスと言わねばならない」（晶文社のウェブ「スクラップブック」[2]）という新連載も始まったね。

山本 今後のお仕事にも引き続き注目しましょう。

どうすれば民主主義の原理が機能する国家の国民になれるのか？

互盛央
日本国民であるために
――民主主義を考える四つの問い
新潮選書、二〇一六年

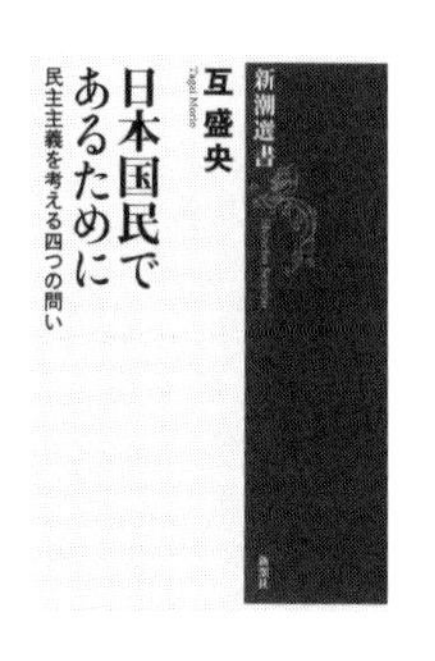

吉川　じゃあ次はコクアルいこうか。

山本　ビールかよ。

吉川　正式な書名は『日本国民であるために――民主主義を考える四つの問い』。

山本　この本が出たとき、ちょっと驚いた。

吉川　ひとつには書名のインパクトというか、そうきたかと。

山本　そうそう。著者の互盛央さんのこれまでの著作とは一見すると異質な印象があったよね。最初に出た『フェルディナン・ド・ソシュール――〈言語学〉の孤独、「一般言語学」の夢』（作品社、二〇〇九）を皮切りに、『エスの系譜――沈黙の西洋思想史』（講談社、二〇一〇／後に講談社学術文庫、二〇一六）、『言語起源論の系譜』（講談社、二〇一四）

吉川　と、文献の博捜・精読をもとに書かれた思想史を手がけてこられた。四冊目となる『日本国民であるために』も、読んでいくとわかるんだけど、それらの本で用いられたテクストの精緻な読解という手法が活きている。

山本　この本をよく読むには――って、毎回言っていることの繰り返しかもしれないけれど――著者がどんなモンダイに取り組もうとしているかという、その問い、疑問、課題をまずはよく受け取ることが肝心だよね。書名の『日本国民であるために』という文言も、そういう目で見るとすでにモンダイを提起しているのが分かる。

吉川　例えば、ひょっとしたら、私たちは自分が日本国民であると思っているかもしれないけれど、じつは日本国民と言えないかもしれない。そうだとしたら、いったいどうすれば日本国民であることができるのか。そういう問いかけとも受け取れる。

山本　「え？　私たちはそんなこと言わなくても日本国民でしょ？　なにをいまさら？」と思ったら、この書名はピンとこない。こういう場合、まずは「なぜ著者はこういう言い方をしているんだろう」と考えてみるわけだね。

吉川　特に哲学をはじめとする人文書では、一見自明に思えることを問うたりもするから、これは読み始めるときのポイントでもある。

山本　さて、内容だけど、どう紹介したらいいかな。

吉川　そうだね。基本的には書名に示されている通りで、「民主主義を考える四つの問い」をめぐって展開される。この文言だけ見ると、政治学や法学の本で論じられるような大きな問いを連想するかもしれないんだけど、互さんは誰にとっても身近にありえるような問いを提示している。

山本 行列などで「割り込みをするのは悪いことか」、「選挙で自分に投票するのは『ずるい』ことか」、「無関心ではないのに、政権にも、政権に反対する人にも賛成も反対もできないということは認められるか」、「過去の日本人の罪を現在の日本人は謝罪しなければならないのか」という四つ。

吉川 こうした一見すると分かりきったもののようにも見える問いから出発して、互さんはこれをより大きな問い、根本的な問いへと結びつけながら、この問いに答えるために必要な検討を重ねていく。その過程で「国家」や「社会契約」「基本的人権」「立憲主義」「民主主義」「一般意志」といった重要な諸概念もまた起源に立ち返って吟味されるので、読者は政経の教科書を引っ張り出さずとも、本書の論旨を丁寧に追えば分かるように書かれている。

山本 無理を承知で本書が提示するモンダイを手短に整理すればこう言えるかな。そもそも人間の集団はなぜ国家というものをつくったのか。人びとはどのような取り決めによって国家をつくったのか。国家のあり方として、なかでも民主主義とはどのようなものか。そこでは誰が国家の主権を持っており、国民を統治しているのか。日本という国家の場合はどうか。とりわけアメリカの占領下でつくられた現行の日本国憲法の成立過程を鑑みると、日本の主権はどこにあると言えるのか。日本が不完全な民主主義国家だとしたら、どうすれば私たちは民主主義の原理が機能する国家の国民になれるのか。

吉川 そういう段階を踏んで問いが練り上げられてゆき、それら全てを踏まえて提示される最後の問いが『日本国民であるために』という書名の含意だね。

山本 これまた乱暴だけれど、本書に通底する問いをこう要約できると思う。民主主義では、国家の意志と、そこに所属する個人の意志とは、どのように関係しうるか。言い換えると、統治する者と統治される者とはどのような関係にあるのか。

吉川 本書でも参照されているルソーの議論は、そこに潜むモンダイを明確にしてくれる。国家のメンバーである国民一人一人は、それぞれが私的な利益を求めて意志を持っている。そういう「個人的な意志」を全部集めたものを「国民全員の意志」だとすると、果たしてその「全員の意志」なるもので国家を運営してよいかどうか。ルソーは、全員の意志といっても、所詮は私的な利益の寄せ集めでしかないと考える。そうではなくて、国民に共通の利益を目指す「一般意志」とでもいうべきものを想定する必要がある、とこういうわけだ。

山本 この観点から考えると、例えば、憲法改正をめぐるさまざまな議論についても、それらは国民全体のうち特定の立場から示される見解であって、単にそのいずれかに賛成したり反対したりすればよいわけではないという次第も見えてくる。互さんは、そういう判断の手前に踏みとどまって、議論の前提を吟味して十分考えを尽くすためにこの本を書いている。

吉川 日本国憲法の成立過程を追って憲法草案やその英語原文、あるいはそれに関連する各種文献を読み解きながら、互さんが「日本国民であるために」どうすべきだと回答を提示しているか。おそらく多くの読者にとっては予想外の答えが最後に示されています。その行方はぜひご自分の目で確かめてみてください。

山本 戦後七〇年以上を経て、いまもなお釈然としない憲法をめぐる議論や「過ぎ去ろうとしない過去」への向き合い方を再考するうえでも見過ごせない本だ。

吉川 冒頭で触れたゲンロンカフェでの鼎談で、斎藤哲也さんと私たちが二〇一六年の人文書ベスト二〇に挙げたのも、そう思ってのことでした。

山本 そうそう、ゲンロンカフェのイヴェントで配布したブックリストは、ウェブでも公開しています。[3] よかったらアクセスしてみてください。

吉川 というわけで、今回は二冊の「ために」本をご紹介してみました。ではまた次回。

山本 ごきげんよう。

註

1 斎藤哲也×山本貴光×吉川浩満「『人文的、あまりに人文的』な、2016年人文書めった斬り！」
http://genron-cafe.jp/event/20161207/

2 連載は二〇一八年十二月に終了。二〇一九年二月に書籍化『無責任の新体系 きみはウーティスと言わねばならない』（荒木優太、晶文社）。また、荒木は在野研究については二〇一九年に『在野研究ビギナーズ 勝手にはじめる研究生活』（荒木優太編著、明石書店）を発表。同書には山本と吉川も登場する。

3 山本と吉川のブログ「哲学の劇場」のイヴェントに関するエントリより。
http://logico-philosophicus.net/?p=70

10

人文書のなかの人文書

ミシェル・フーコー
言葉と物——人文科学の考古学
渡辺一民、佐々木明訳、新潮社、一九七四年

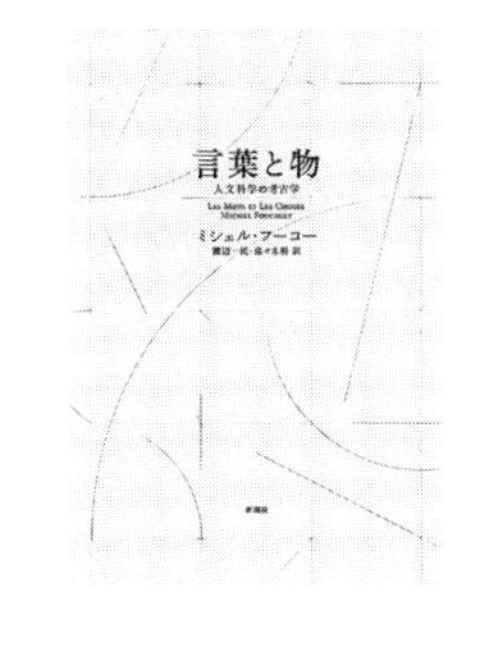

吉川　ところでさ、いまさらなんだけど、人文書って、なんなんだろうね。

山本　ほんとにいまさらだ。そういえば、この連載では人文書とは何ぞやという話をしていなかったかも。

吉川　うん。今回は初心にかえって、その辺のところから話してみようか。

山本　まず、「人文」という言葉の来歴を確認しよう。もともと「人文」というのは、ヨーロ

ッパ由来の、英語でいう「ヒューマニティーズ」を表すためにおそらくは明治期につくられた言葉なんだよね。

吉川　ヒューマニティーズ。

山本　そう、語源はラテン語の「フーマーニタース」。ルネサンス期の知識人は、神の研究に代わって人間の研究の重要性を唱えたんだよね。その際にお手本となったのがギリシア・ローマの古典。だからフーマーニタース研究というのは、人間の研究であると同時に文物、特に古典の研究でもあった。

吉川　もとをたどればやっぱり古典ギリシアに行き着くと。

山本　でね、当時の日本の知識人がヒューマニティーズの概念を受け止めようとしたとき、これをうまく表す日本語がなかったものだから、中国の古典に助けを求めた。

吉川　うん。元号と同じだ。

山本　古来より中国では、この世界の森羅万象を「天」と「人」のふたつの要素で考えてきた（場合によっては「天地人」）。天というのは、大きく宇宙・自然一般を指している。で、人というのは文字どおり人間のこと。そして「文」というのは「あや」、つまり有様や形のこと。これを参考にして、ヒューマニティーズを人文と訳して言い表した。

吉川　ふむ。

山本　だから、日本語の「人文」を考える場合、それが古代中国語とヨーロッパ語のハイブリッド語であることを理解するのが大事。

吉川　なるほど。ヨーロッパの概念を中国語で表し、日本語として用いると。近代日本らしいアクロバットだね。それに天／人の対比がキャッチーなところもいい。

山本　天の文が「天文」で、人の文が「人文」。「天文」学はいわゆる自然科学と重なると思うけれど、それが人間の営みであるかぎりにおいては「人文」学の対象でもある。

吉川　そう考えると数学史や科学史も一種の人文学と考えることができる。どんな分野の対象であれ、それを「人の文」の相の下で見れば人文学になる。理系／文系の区分よりも使いでがあるよね。

山本　うん。そういえば先日、『現代思想』の特集「美しいセオリー」のために原稿を書いたんだけどね。[1]

吉川　おお。私も書いた。なに書いたの？

山本　アインシュタインが友人への手紙に書いた図を紹介したよ。題して「理論の理論」。彼はそこで、観察された経験から公理が発想され、公理から命題が演繹されて、命題が経験と照合されるという自然科学のあり方を説明してるんだけど、それを考察して図にしたりすること自体は人文的な営みだよね。

吉川　たしかに。まさに科学的認識論（エピステモロジー）だ。

山本　うん。吉川くんはなに書いたの？

吉川　えーと、「功利主義」。

山本　ほう。どうしてまた？

吉川　ちょっと思うところがあって、不用意にも……。

山本　読むのを楽しみにしよう（笑）。それはとにかく、この連載で扱う「人文」「人文書」は、以上のように「人文」概念を広くとらえて使っています。他方、歴史的事象としての「フーマーニタース」については、安酸敏眞さんの『人文学概論』（知泉書館、二〇一四年／増補改訂版、二〇一八）を参照してください。

吉川　さて、前置きが長くなっちゃったけど、人文がそういうものだとして、「これぞ人文書！」というものがあるとしたら、なんだろう？

山本　うーん。難しいけど、ミシェル・フーコーの『言葉と物』は外せないかな。

吉川　だよね。人文書のなかの人文書。

山本　ものすごく乱暴にいえば思想史に近い仕事。といっても、ただ昔の思想や作品を並べるというのではない。フーコーは、人びとが世界を見るときに拠って立つ知的な枠組（エピステーメー）を探究しようとしている。膨大な文献を渉猟しつつ中世以降のヨーロッパにおけるエピステーメーの内実と変遷を描いたのがこの本だと、とりあえずはそういえるかな。

吉川　彼は自分のやり方を「知の考古学」と呼んでいる。そして本物の考古学と同じように、知の考古学も時代の断絶を見出すことになる。

山本　フーコーはふたつの断絶を見ていて、ひとつは一六世紀、ルネサンス時代の終わりにあったという。それまでの時代のエピステーメーは「類似」（アナロジー）にもとづいていた。それが一七世紀になって、一切を数学的な原理にもとづいて「分類」したうえで秩序化するエピステーメーが登場した。これが古典主義と呼ばれる時代。

吉川 そして一八世紀末、ふたつめの断絶がくる。フーコーはこれ以降の時代を近代と呼ぶんだけど、そこで初めて「人間」が登場すると。

山本 おもしろいよね。もちろん、それまでにも人類は存在してきた。でも、知の主体であると同時に客体でもあるような人間、これは現在の我々も共有している人間観だろうけど、そうした「人間」はこのとき初めて誕生したと。彼はこの人間を、カントに依拠しながら「経験的＝先験的二重体」と呼んでいるね。

吉川 我々が自分でそうであると思っている人間というのは最近の発明品なわけだ。しかもフーコーは、その終焉もまた近いと予言してこの本を終える。格好いいから引用しようか。

人間は、われわれの思考の考古学によってその日付けの新しさが容易に示されるような発明にすぎぬ。そしておそらくその終焉は間近いのだ。
もしもこうした配置が、あらわれた以上消えつつあるものだとすれば、われわれがせめてその可能性くらいは予感できるにしても、さしあたってなおその形態も約束も認識していない何らかの出来事によって、それが十八世紀の曲り角で古典主義的思考の地盤がそうなったようにくつがえされるとすれば――そのときこ

そ賭けてもいい、人間は波打ちぎわの砂の表情のように消滅するであろうと。(四〇九頁)

山本　原書が刊行された一九六六年、フランスではたいへんな評判になったらしいね。バゲットのように売れたとか、ビーチで読むのがクールだったとか、いろいろいわれている。

吉川　バゲットってパンでしょ。どんだけ売れたんだ! ところで野暮をいうようだけど、こういう仕事を学問的な妥当性という観点から評価することはできるだろうか。たとえばフーコーによるルネサンス、古典主義、近代のエピステーメー規定の正否を判定できるような尺度ってあるだろうか。

山本　うーん。難しいね。フーコーの仕事は、学問というより批評に近いかもしれない。問いをつくりだしたり、考え方を提示して、読者のものの見方に変化を起こすような。

吉川　野暮ついでにいえば、グーグルNグラムなどのビッグデータを用いて文化事象を分析する『カルチャロミクス――文化をビッグデータで計測する』(エレツ・エイデン、ジャン=バティースト・ミシェル、草思社、二〇一六年)みたいな仕事と比較してもおもしろいかもね。

山本　あるいは、人間が日々生み出す厖大なデータとその統計的分析から意外な人間集団の姿をあぶり出す『ソーシャル物理学――「良いアイデアはいかに広がるか」の新しい科学』(アレックス・ペントランド、草思社、二〇一五年)のような試みとかね。いずれにしても、現在さまざまに行われている人間や文化にかかわる科学や技術を検討してみると、フーコーの偉大さを再発見できるかもしれない。

吉川　数年前に刊行されたフーコーのインタビューは興味深かったね（『わたしは花火師です――フーコーは語る』ちくま学芸文庫、二〇〇八年）。「歴史家ですか？」と聞かれて「否」、「哲学者ですか？」と聞かれても「否」、「では何者ですか？」と聞かれて「私は花火師です」と答えたという。なにをふざけたことを、と怒り出す人もいるだろうけど、たしかにそんな風に答えるしかないかもしれないとも思う。

山本　実際、巨大で美しい思想の花火を打ち上げて、我々に大きな影響を与えたわけだ。

吉川　まったく。これに比肩しうるようなスケールの人文書って、ほかになにがあるだろうか。

山本　うーん。古くはマルクスの『資本論』（国民文庫、岩波文庫、日経BPクラシックスほか）――今年は第一部刊行から一五〇周年――とか、ドゥルーズ＝ガタリの『アンチ・オイディプス――資本主義と分裂症』（上下、河出文庫、二〇〇六年）とか？

吉川　おお、そうだね。あとはなんだろう。クロード・レヴィ＝ストロース『野生の思考』（みすず書房、一九七六年）とか、アドルノ＝ホルクハイマー『啓蒙の弁証法――哲学的断想』（岩波文庫、二〇〇七年）とか？

山本　そう考えるとけっして多くはないよね。

吉川　あと、この本は難解で長大な書物として有名だけど、面白ネタの宝庫でもある。

山本　有名なベラスケスの絵画の分析にはじまり、ボルヘスやサドやルーセルの作品、あとはこの本で初めて目にするような著者たちの忘れられた文物まで、おそるべき博覧強記。パッと開いたところをつまみ食いするような読み方でも十分に楽しめる。あるいは今なら、フーコーが図書館にこもって探し読んだ文献も、ネットの各種アーカイヴ（これもフーコーにとって重要な概念だった）で読めるから、自分の目でフーコーの見立てを検討しやすいかも。

吉川　この本をリソースにすれば、いくらでもブログ記事が書けそうだね（笑）。

ポスト・ヒューマニティーズの人文書

カンタン・メイヤスー

有限性の後で——偶然性の必然性についての試論

千葉雅也、大橋完太郎、星野太訳、人文書院、二〇一六年

山本　人間の終焉を予言した『言葉と物』だけど、昨年、まさにポスト・ヒューマンというべき哲学書が邦訳刊行されました。次はこれいってみようか。

吉川　カンタン・メイヤスー『有限性の後で』だね。

山本　この本も、『言葉と物』ほどではないにせよ、思想界にセンセーションを巻き起こしました。フランス語の原版は二〇〇六年刊行。メイヤスーは一九六七年生まれの（成功した哲学者としては）若い著者ながら、本書によっていわゆる「ポスト構造主義」以降最大の思想運動ともいえる思弁的実在論（Speculative Realism/SR）のリーダー的存在と目されるようになった。

吉川　フーコーは『言葉と物』で人間の終焉を予言したわけだけど、メイヤスーはもっと積極的に、近代のカント的な人間とは別の仕方で思考しなきゃいけないんだというんだよね。

山本　うん。カントは、我々は実在――カントはそれを「物自体」と呼ぶ――を直接認識することはできないと考えた。我々が認識しているのはあくまでも「現象」であって、それは徹頭徹尾、人間の感官や思考のあり方に依存して現れている。たとえば、目の前に六面体のサイコロがひとつあるとする。私たちはそのサイコロをつねにある角度から、ある光の下で見たり、その表面に触れて感じ取っている。サイコロという実在物をそのまま認識はできなくて、人間なら人間の目や耳や肌を通じて経験するしかない、というわけ。

吉川　どんな存在も人間の感覚や思考とかかわるかぎりにおいて存在すると想定するこの思考法を、メイヤスーは「相関主義」と呼んで批判する。

山本　もし人間が相関の外に出られないとすれば、たとえば人類が誕生する前の数億年前の化石とか宇宙の状態とか、彼はそれを「祖先以前性」と呼ぶんだけど、そういうものについてなにもいえないじゃないか、と。

吉川　うん。でも実際には祖先以前的な事柄についても我々は語りまくっている。つまり知ってか知らずかダブルスタンダードを用いているわけだ。哲学はそんな詐術を捨て、実在に直接アクセスする思考を立ち上げなければならない。そのために召喚されるのが……。

山本　数学！　メイヤスーによれば、数学こそ相関主義と無関係に実在にアクセスできる手段ということなんだけど、私はこの点については正直ちょっと留保したい気がする。どう？

吉川　先の『言葉と物』とは別の意味で判断がつかないところがあるよね。実在に直接アクセスするということは、人間の思考とは無関係にアクセスするということだから、ちょっと取り付く島もない感じはする。

山本　その辺については本職の哲学者たちの検討を待つとして、ここではこの本の「人文的、あまりに人文的」な意義について考えてみようか。

吉川　人の文という観点からは、この本のモチーフはよくわかる気がするよね。

山本　うん、ほんとに。相関主義の閉域から出られない息苦しさ、あるいはダブルスタンダードを用いることの自己欺瞞に、我々――我々の範囲をどこまでとれるかはわからないけれど――は飽き飽きしてるんだよね。だからメイヤスーの相関主義批判はスカッと爽快なところがある。

吉川 ディープラーニング以降の人工知能ブームなんかを見てもそれはいえるよね。たとえば、GoogleのＡＩのアルファ碁が人間にはまったく予想できない手を打ったりするのを見て、我々はときめいちゃうわけだ。『銀河ヒッチハイク・ガイド』（河出文庫、二〇〇五年）のスーパーコンピュータが「究極の答え」として弾き出す「42」[2]みたいな、人間的相関とは無関係なところからスルーパスがくるのを待望してたりするんだろうね。よしあしは別として。

山本 その意味では、この本が提起した祖先以前性の概念と相関主義批判は、ある意味パンドラの箱を開けたというか、そういうエポックメイキングな意義があると思う。

吉川 うん。それが出てくる前には思いもよらなかったかもしれないけど、出てきたあとで考えてみたら出るべくして出たとしか思えないような、まあ簡単にいえば、「そうそう俺もそう思ってた！」といいたくなるような、そんな作品。

山本 あと、この本を読んだとき、「これは一種のサイエンス・フィクションだ」と思った。といっても絵空事だ、という意味じゃないよ？

吉川 ほう。その心は？

山本 ＳＦといっても人によって定義はさまざまだろうけれど、私の場合、「現実の世界に実際には存在しないもの（科学・技術にかかわる要素）を置いてみたり、差し引いてみたらなにが起きるか」を想像のなかで実験したりシミュレーションしてみるフィクションという具合。たとえば、タイムマシンとか人間の意識をデジタルコピーする技術とか。ただしメイヤスーの本の場合、「学問」という広い意味でのサイエンスが、もし「祖先以前性」という概念を頭に入れて世界を見なおしたら、なにが見えるか、考えられるか、という報告でもあると思うんだよね。まあ、あくまでもものの喩えだけれど。

吉川 人間にはどれだけのことが考えられるかという実験だね。概念をつくって提示することは哲学の大きな仕事でもあり、我々読者からしてみれば読む醍醐味でもある。そういう「人文的、あまりに人文的」な意味でも『有限性の後で』はおもしろい。

山本 メイヤスーの邦訳された単著は今のところ『有限性の後で』かな。[3] 論文は『現代思想』のバックナンバーでいくつか読めます。思弁的実在論については『思弁的転回（*The Speculative Turn: Continental Materialism and Realism*）』という論集を覗いておくと見取り図を得られると思います。同書はオープンアクセス版がネットでも公開されていましたね。[4]

吉川 というわけで、今回は人文書ど真ん中の二冊を取り上げてみました。

山本 ご機嫌よう。

註

1　『現代思想 二〇一七年三月臨時増刊号 総特集＊知のトップランナー50人の美しいセオリー』、青土社、二〇一七年。

2　42　「銀河ヒッチハイク・ガイド」一九七八年にBBCで放映されたダグラス・アダムズ作のラジオドラマ。人気を博し、小説、映画などに展開、世界的に愛されるSFコメディシリーズとなった。物語中、宇宙で二番目に優れたスーパーコンピューターである「ディープ・ソート」が「生命、宇宙、そして万物についての究極の疑問の答え」を750万年かけ計算、「42」という数字を弾き出す。この「42」をめぐって、SFファンを中心に数多の解釈が論じられている。

3　二〇一八年七月、カンタン・メイヤスー著作の二冊目の邦訳『亡霊のジレンマ——思弁的唯物論の展開』（青土社、岡嶋隆佑・熊谷謙介・黒木萬代・神保夏子訳）が刊行。

4　The Speculative Turn: Continental Materialism and Realism, edited by Levi Bryant, Nick Srnicek, and Graham Harman, www.re-press.org, 2011. http://www.re-press.org/book-files/OA_Version_Speculative_Turn_9780980668346.pdf

11

今日から使える人文書

読書猿
アイデア大全
——創造力とブレイクスルーを生み出す42のツール
フォレスト出版、二〇一七年

吉川　前回は「これぞ人文書」という本を紹介したんだったね。

山本　そうそう、フーコーの『言葉と物』と、メイヤスーの『有限性の後で』。

吉川　読者のみなさんも、この二冊を読んでみて、「うおー、すげぇ！　オレもいっちょ『言葉と物』みたいな本を書いてみるか！」と、やる気が出たんじゃないかな。

山本　間違いないね。『ゲンロンβ』の読者から、何人か二一世紀のフーコーが誕生したかな。

吉川　ただ、前回からひと月くらい経ってみて、いまごろ「やっぱ難しいな……」と思ってるところかも。

山本　やる気の「有限性の後で」だね。

吉川　うん。急に『言葉と物』は書けない。そんなにうまくはいきません。

山本　どうしたら書けるようになるの？

吉川　今回は、そういう素晴らしい人文書を書くにあたって、助けになるノウハウや知識を授けてくれるような本を紹介しよっか。

山本　ああ、ちょうどうってつけのすごい本が出たからね。

吉川　加えて、われわれがお世話になってきた知的生産法の本についても話せたらと。

山本　いいね。

吉川　最近出たすごい本というのは、他でもない、我らが読書猿さんの『アイデア大全』。[1]

山本　ようやく出たと言うべきか。待ってましたの一冊だね。読書猿さんって、『ゲンロンβ』をお読みのみなさんはご存じかな。

吉川　インターネットでは古株だよね。

山本　二〇世紀から活躍していらっしゃる。私もメールマガジンを愛読してたなあ。

吉川　本書につながるような読書案内だった。

山本　実際のところ、どんな人、というか猿なの？

吉川　著者プロフィールにはこうあるよ。「正体不明、博覧強記の読書家。メルマガやブログなどで、ギリシア哲学から集合論、現代文学からアマチュア科学者教則本、日の当たらない古典から目も当てられない新刊まで紹介している」。

山本 そうそう、取り上げる本がほんとうに幅広いんだよね。

吉川 「人を食ったようなペンネームだが、『読書家、読書人を名乗る方々に遠く及ばない浅学の身』ゆえのネーミングとのこと。知性と謙虚さを兼ね備えた在野の賢人」。

山本 そうか……って、読書猿さんが猿だったら、われわれなんか、なんだろう、読書犬とか？

吉川 犬を猿の下に置くかどうかは検討の余地があるけどな。

山本 そこ？　ともあれ、読書猿さんが猿だとしたら、われわれを含む人類の大半は猿以下ではないかという気もする。

吉川 本書を読むと、その思いはますます強くなるよね。ネットですでに読書猿さんの記事を読んでいる人はご存じのとおり、面白いし役に立つしで、お世話になっている人も多いんじゃないかな。

山本 そこに来てこの本だ。

吉川 率直にいって読んで驚きました。言っちゃなんだけど、メルマガやブログに書いたことを、お手軽に並べてたりするのかなと思いきや……。

山本 どうしてどうして、本という器にあわせてきっちり設計し直されていて。

吉川 これまでの内容も活かされてるんだけど、しっかり根本的に構成も練ってあって、こ

山本　れはすごい。

吉川　だからウェブで読んでいたという人も、本を買ったほうがいいですよ。

山本　ウェブ版とはまったくの別物といっていい。

吉川　ごく簡単にどんな本かを紹介すると、書名にある通りなんだけど、『アイデア大全――創造力とブレイクスルーを生み出す42のツール』。

山本　いかにアイデアを生み出し、形にするかがテーマだ。

吉川　そう、文章だけでなく、日常生活や各種の商品企画のような場面まで、幅広く応用できるツールが紹介されている。古今東西で編み出されてきた技法を集めてある。

山本　なにしろアイデアをどう出すかという営みは、おそらくどんな時代でも、どんな場所でも必要だっただろうからね。それこそキューブリックの映画『２００１年宇宙の旅』の冒頭なんて、猿が手にした骨から武器というアイデアを発明する場面にわれわれは立ち会う。

吉川　猿攻め（笑）。しかし「これで万事ＯＫ」という万能の方法はない。だからこそ、いろいろな人が自分流のやり方を編み出してもいるし、書店に行けば、発想や企画についてたくさんの本が並んでいるわけだ。

山本　では、中身も見ていこうか。

吉川　計42のツールが全一一章に分類してある。各ツールについては、名称を筆頭に「難易度」「開発者」「参考文献」「用途と用例」が簡単にまとめてある。概要だね。

吉川 それに続いて「レシピ」という形で、そのツールの使い方が手順として書いてあって、さらに具体的な応用例を示した「サンプル」と、読書猿さんによる「レビュー」もついている。

山本 至れり尽くせりとはこのことだ。本当に懇切に書かれていて参考書として過不足がない。

吉川 この連載からしても見逃せないのは、読書猿さんがこの本の「まえがき」に「本書は実用書であると同時に人文書であることを目指している」と宣言している点。

山本 なぜ本書が人文書かということには、いろいろな意味が込められていそうだね。

吉川 そう、ひとつには前回も話したように、天文に対する人文という面があるよね。歴史は一度しか生じないことの連続で、それをどう捉えるかが人文学の仕事だと話したけれど、本書もまさにそれぞれのツールの開発者とか、生まれた時代や場所がきちんと書いてある。

山本 ともすると技法さえ教えてくれたら、作者とか時代なんてどうでもいいとなりそうなところ、きっちり書き添えてある。

吉川 うん、いっけんバラバラに見える諸技法だけど、本書の中ではそれらの歴史的なつながりが見えるようになっている。

山本 人文知の手法を集めて分類しているわけだね。もうひとつは、これも「まえがき」にこう書いてある。「現状追認に抵抗する書物、世界の有り様についてオルタナティブを提示しようとする書物である」。

吉川　抵抗と革命のための本だ。

山本　いま常識になっているようなものの見方とか、みんなが「そういうことだよな」と思い込んでいることに対して、「いや、待てよ、本当にそうなのかな」と別の見方を提示するということだ。

吉川　この連載の第五回で話した哲学における懐疑主義にも通じるね。

山本　つまり、新しいアイデアを出すということは、新商品の案をひねり出すという面もあるけれど、その根底には既存のアイデアとは違う世界の見方を、どうやって編み出すかという根本的な課題があるわけだ。読書猿さんは、どうもそれが人文学の仕事だとお考えなんじゃないかなと思う。まったく賛成。

吉川　それは本の構成にも表れている。巻末に「アイデア史年表」というのがついていて、これがまた面白い。この本で取り上げられるアイデアが年表にまとめてある。最後には索引もある。これによって、人類がこれまで発想を形にする時に苦闘した痕跡を、歴史的なパースペクティヴの下で見られる。

山本　過去四〇〇〇年のスパンでね。

吉川　もちろん実用書としては、実践しなければ意味がないと読書猿さんもおっしゃっているんだけれど、いわゆる「人文書」として読むだけでも面白い。ちゃんと日付と場所、歴史をもったそれぞれの手法が有機的に紹介されているから、人間の発想技術の歴史としても読める。

山本　本の見返しに科学技術、芸術、文学、哲学、心理療法、宗教、呪術と並べてあるように、分野を問わず発想ってどうやってできるの？　という学問・芸術の全領域が対象になっている。具体的に一例をご紹介しようか。

吉川　例えばこれはどうかな。第二章「偶然を読む」に入っている「ランダム刺激」。アイデアは、とにかく新しいものを生み出さなければアイデアじゃないわけだ。それって決まりきったルーティンをやっているだけじゃダメで、東浩紀さんが観光客の哲学として論じているように、ある種の偶然を源泉として活かさないといけない。

山本　で、そのための技法もいろいろ考案されている。

吉川　ここに載っているものでは、本を適当に開いて、そのページを読むとか、サイコロの目とか、ランダムにタロットを引くとか。

山本　つまりそれって、必ずしもいま自分の中にないものとか、出てこないものを、外から取り込む方法。そういう自分の外にあるランダムネスを使わないと、自分のなかにあるものが基本になるから、そこから自由になるのは結構大変なんだよね。うろ覚えだけど、埴谷雄高は『ギリシア・ラテン引用語辞典』かなにかをぱっと開いて目についた章句を読むと言っていたかな。

吉川　「不合理ゆえに吾信ず」なんかもそこから出てきてたりして。

山本　自分の意識の外にあるものとどうやって遭遇するかという技法。

吉川　昨今は特にフィルターバブルなんていうのが話題になっているぐらいで。
山本　ネットの検索が典型。ユーザーが意識しないところで、プログラムがその人に向けて検索結果をフィルタリングするために、知らないうちにそういうフィルターの泡に閉じ込められているという現象だ。
吉川　人間本性としても、われわれは内に閉じこもりがちだから、少しでもそういうものをこじ開ける工夫が必要だよね。限界はあれども、なにもないよりはましで、そういうものとして使えばいいわけだ。それによってセレンディピティが生まれることもある。
山本　その確率を高めてくれる。
吉川　例えばその「セレンディピティ」という言葉。社会学者のロバート・キング・マートンが広めた言葉らしいんだけど、まさにセレンディピティみたいな現象をなんて呼べばいいんだろうっていう時に、偶然別の言葉を調べるために覗いた『オックスフォード英語辞典』に、ホレス・ウォルポールが作った「セレンディピティ」という語を見つけたんだって。
山本　それ自体がセレンディピティの例になっていて、ちょっとよくできすぎた話だよね（笑）。これも本書に出てくる。
吉川　私のお気に入りは「ルビッチならどうする？」（第六章「視点を変える」）。
山本　あ、私もそれ！
吉川　かの映画監督ビリー・ワイルダーが、「ルビッチならどうする？」という言葉をオフィスの壁にかけていたらしい。

山本　要するに、自分が問題に直面した時なんかに、「あの人ならどうするかな」と考えてみる方法。自分ではない人のものの見方をどうやって自分の中に入れるかとも言えるね。そういう意味では、人文書を読むというのは、ビリー・ワイルダーにとってのルビッチみたいな存在をどれだけ発見できるかということでもある。

吉川　これは『ゲンロン0』[2]で書かれるであろうことでもあるけれど、いかに書物の観光客になるかということでもあるね。それと、42といえば、前回『銀河ヒッチハイク・ガイド』に出てくる42について触れたけど……。

山本　「究極の答え」！

吉川　やっぱり『アイデア大全』の42という数字を聞くと、それを想起せずにはいられない。洒落も効いてる。

山本　ともかく優れた本なので、すぐに読まなくても書棚に置いておきたい一冊です。

立志から始めよう

花村太郎
知的トレーニングの技術〔完全独習版〕
ちくま学芸文庫、二〇一五年

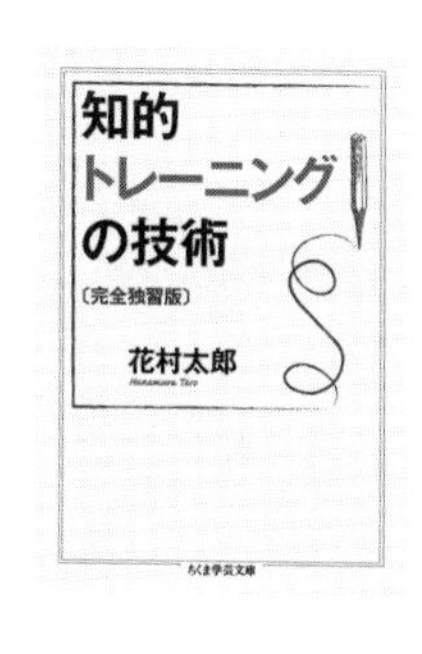

吉川 もう一冊は花村太郎『知的トレーニングの技術』。

山本 しかも「完全独習版」。

吉川 私の感覚だと、読書猿さんの本は、ネット時代以降にお世話になった人がついに本を書いたという感じ。それに対して『知的トレーニングの技術』はネット以前、学生時代にすごくお世話になったものが、ちくま学芸文庫で甦ってうれしいなと。

山本 同感。われわれの学生時代だから、一九九〇年代初めだね。書誌的なことを言えば、この本ははじめ『別冊宝島』の一冊として一九八〇年に刊行され、それが一九八二年に単行本として出ている。この文庫版は単行本版を再編集して、改訂を加えてある。

吉川 学恩ある一冊とも言えるよね。

山本 この本は、知的生産をするために必要なあれこれについて、順を追ってかなり丁寧に教えてくれています。考えてみれば、小学校から大学まで、こういうことをこれほど

吉川　詳しく教えてくれる大人って先生に限らず、まわりにいた?

山本　いなかったなあ。

吉川　これも書名の通りなんだけど、まずは知的に何かを生産しようと思ったら、トレーニングが必要だということを教えてくれる。もちろん大学や大学院に行けば、当たり前といえば当たり前のことなんだけど、こんなふうに体系立てて惜しみなく教えてくれる先生って、なかなかいないかもしれない。

山本　そう考えると、『別冊宝島』には結構お世話になったよね。他にも『わかりたいあなたのための現代思想・入門』とか『文章・スタイルブック』とか。

吉川　『進化論を愉しむ本』『わかりたいあなたのためのフェミニズム・入門』などなど、知のマップを広げて見せてくれる本がいろいろ揃っていた。

山本　ところで、先ほどの『アイデア大全』の場合、アイデアの使い方は読者に任されていたわけだけど、『知的トレーニングの技術』のほうはどうだろう?

吉川　『知的トレーニングの技術』は、アイデアをかたちにする方法を順を追って丁寧に教えてくれる本だね。

山本　こんなふうに喩えられるかな。読書猿さんの本が水平的な本だとすれば、花村太郎さんの本はハシゴのような、垂直的に登ってゆくための本。

吉川　好対照の二冊で、あわせて読むといいね。

山本　『知的トレーニングの技術』は、出だしが面白い。ここにこの本の姿勢が表れているというか。

山本　「志をたてる」ところから始まる。しかもお手本は孔子のライフタイム・スケジュールという。まさにライフプランというか、スタディプランを立てるところから出発する。

吉川　そう、実は一番重要なこと。

山本　なにせ「立志」だからね。志を立てるわけだ。

吉川　これからどういうハシゴを登るのかを見定める。修練的なところがあるね。

山本　言い換えれば、知的生産をしようと思ったら、動機を持つことが最重要だよという話だと思うんだよね。動機がないと、本を読むにしても、誰かと議論をするにしても、張り合いがないというか、そもそもやる気にならないかもしれない。「こういうことを知りたい！」という動機さえあれば、いろいろなことが意味を持って、頭の中でつながったりする。そういう意味でも立志って超重要で、それができたらあとは大丈夫という話でもあるんだよね。

吉川　第二回で紹介した好奇心の本、『子どもは40000回質問する』とも通じる内容だ。ツールとか道具には還元できない問題。

山本　そう、動機をどうやって維持するかとか、刺激を受け続けるかというのが、実はライフプランとしても重要。というのは、われわれ人間はともすると簡単にやる気を失って怠惰に暮らしちゃうから。主語が大きすぎたかな。

吉川　オレもオレも。やる気ってすぐになくなるからね。そういう意味でも面白いのは、この本の構成。最初はいま言ったように「立志」、次が「ライフプラン」、それからいま話に出た「ヤル気」をいかに持続するか。

山本　そして「気分管理術」という具合に、いかに続けるかという環境づくり、意識づくりから説かれている。裏を返せば、ここが挫折しやすいポイントでもあるからだろうね。

吉川　『アイデア大全』と『知的トレーニングの技術』について、さっきは相違点を話したけど、共通点としては「独学」というキーワードがある。

山本　それこそ第9回で紹介した『これからのエリック・ホッファーのために』とも通じる。いかに独学するか。つまり、いかにひとりで楽しみながら、仲間や師を見つけてやっていくか。

吉川　いわゆる独学特有の落とし穴をいかに避けながら楽しむかを説いている。それに、ある領域の専門家であっても、その分野を離れたら独学者になると考えたら、ほぼあらゆる人はなにかについて独学するとも言えるわけだからね。

山本　ということは、この二冊の対象読者は全人類ということでいいかな。

吉川　最後に、私たちの知的生産の技法についても話してみようか。

山本　そうだね。吉川くんはどう?

吉川　これはたまたまなんだけど、つい先日、われわれが愛する中公新書のウェブから、好きな中公新書を三冊選べという依頼があって、知的生産法に関する本を選んだところ。[3]

山本　なにを選んだんだっけ。

吉川　野口悠紀雄『「超」整理法——情報検索と発想の新システム』、木下是雄『理科系の作文技術』、川喜田二郎『発想法——創造性開発のために』。

山本　どれも名著だね。

吉川　山本くんはどうですか。

山本　私もいろいろ読んできたけど、ものの考え方を一番教えてくれたのは誰かなと思い返してみたらね、アリストテレス先生かなと。

吉川　ほうほう。

山本　アリストテレスの本って構成に特徴があるんだよね。最初にまず問題はなにかが書かれる。次に、自分より前の人はどう考えたかを調べてまとめる。例えば『形而上学』という本なら、「存在とは何か」という問いを立てて、ソクラテス以前と呼ばれるタレスやパルメニデス[4]といった人たちの説を要約してみせる。

吉川　世界は水からできているとか、真にあるものは不変だとか。

山本　それぞれ。そうやって先哲の考えをまとめた上で、同意する点とそうでない点を論じながら自説を提示する。

吉川　まとめる力もものすごいよね。『形而上学』の冒頭近くなんて、そのまま後の古代ギリシア哲学史の型をつくったような面もあるでしょう。

山本　加えていえば、彼のお師匠さんのプラトンは、どちらかというとイデアのような観念に重きを置いて考えたけれど、アリストテレスは経験にも目を向けて、そこから経験に留まらない概念を取り出すということを、いろいろなテーマについてやった。これが私の場合、ものを調べたり考えたりする時のお手本になった気がするんだよね。

吉川　その手法に普遍性があるからこそ、いまでも学問の世界で採用されている基本フォーマットのようなものになっているのだろうね。そういえば、前回も紹介した『現代思想』の「美しいセオリー」特集で山本くんが書いていた「理論の理論」にも関係している。

山本　そうそう、あの文章ではアインシュタインが描いた、現象と理論の関係について書きました。アリストテレスの発想と大きく違うところがあるとしたら、アインシュタインの図では、現象の観察から理論をつくった後で、その理論を再び現象で検証して是非を問うところかな。

吉川　あと、なにか個人的なノウハウはある？

山本　じゃあ本の読み方で心がけていることを話そうかな。

吉川　いいね。

山本　本を読む時に、余白にいろいろ書いたりするんだけど、読んだ後で中身を圧縮します。章ごととか部ごとに何が書いてあったのかを要約して余白に書いておく。ぎゅっと圧縮するように。で、例えば全一〇章の本なら、一〇文の要約ができる。最後にその一〇文全体をさらに要約すると、自分なりのその本の要約ができるというわけ。たとえるなら、ジャムを煮詰めるような感じ。

吉川　エッセンスを抽出するわけだ。それで言うと、ある本を三〇分、三分、三秒で要約できるかどうかというのもある。三〇分しゃべる機会というのは飲み会とか発表会でもなければそうそうないだろうけど、三分や一分ならけっこうあるよね。三分で要約するには章ごとに一行、三秒なら本そのものを一言で表す必要がある。これって考えてみたら、本を書く時にも必要だね。

山本　そうそう。

吉川　自分が書こうとしている本を一行で、章を一行で、パラグラフも一行で書いてみる。読むときにやっているのが圧縮なら、書くときは解凍というべきか。

山本　それを自分なりに自由自在にできるようになるのが理想。

吉川　さらに言えば、パラグラフ、章、本というレヴェルに加えて、ジャンルや学説史といったレヴェルではどうかというふうに、さまざまな縮尺で圧縮・解凍できるか、ということも重要。難しいことだけど。

山本　それこそ脳裏にどういう知を蓄えて、それらを主題に応じてどう組み合わせられるか、という話でもある。というのが私の個人的なノウハウかな。吉川くんはどう？

吉川　私は、「え！」とか「あれ？」と思ったものを、片っ端から写真に撮っておく。それが、思わぬところで「あのことだったのか」と後で分かったり、つながったりする。だからつまらないものでも気になったら写真に撮っておくかな。

山本　それはいいね。本で読んだ一節とか、映画のひとこまとか、その時の自分にとってなにか印象に残るものを切り取っておくわけだ。

吉川　ただし、これはまだうまくできてないんだけど、それがなんの写真なのか、ファイル名とかタグ付けである程度までは紐付けておきたいんだけどね。そうしないと、七〇歳とかになって「これまで人生で見てきた面白い言葉を並べてください」とか言われた時に、せっかく厖大な写真があっても、どれがどれやら分からなくなりそう。

山本　なんの心配をしてるのやら。でも、ある時に「あ！」と思った文章って、後になって「こういう時にこそ前に『あ！』と思ったあの言葉がぴったりだ」と感じて思い出したくなるんだよね。

吉川　そうそう。それってまさにパラドックスというか、後で何が役立つかなんてリアルタイムでは分からなくて、事後的に遡及的に分かるしかないんだよね。そこをどうするかは、これからいろいろ工夫してみて、いつかいいアイデアが見つかったらお知らせします。

山本　それを楽しみにしながら、今回はこのへんで終わりましょうか。

吉川　こちらからは以上です。

山本　ではまた、ご機嫌よう。

註

1　本書『アイデア大全』に続き、『問題解決大全――ビジネスや人生のハードルを乗り越える37のツール』(フォレスト出版、二〇一七年)、そして集大成的な巨篇『独学大全――絶対に「学ぶこと」をあきらめたくない人のための55の技法』(ダイヤモンド社、二〇二〇年)も出た。この星が猿の惑星になる日もそう遠くないかもしれない。

2　東浩紀『ゲンロン0　観光客の哲学』(ゲンロン、二〇一七年)。第七一回毎日出版文化賞受賞。

3　吉川浩満「新(書)三種の神器」、「web中公新書」、二〇一七年一月五日。http://www.chuko.co.jp/shinsho/portal/098339.html

4　タレス　古代ギリシアの哲学者。ミレトス学派の始祖で皆既日食の予言、ピラミッドの高さの計測など学術から政治活動まで多岐にわたって活躍。七賢人の筆頭に名前が挙がる。
パルメニデス　古代ギリシアの哲学者。南イタリアのエレア出身、エレア学派の祖。哲学の発展に大きく寄与した。

12

民主政を問い直す

ルソー

社会契約論

桑原武夫・前川貞次郎訳、岩波書店、一九五四年

山本　この連載も今回で一二回目です。一周年！

吉川　正直言って、こんなに続くとは思ってなかった。

山本　怠惰な私たちがこれまで続けてこられたのも、取り立ての厳しい編集部のみなさんと読んでくださる読者のみなさんのおかげだね。

吉川　年貢じゃないんだから。でもほんと、ありがたいことです。というわけで、ただいまマイアミでお祝い中です。

山本　東京は渋谷のマイアミ（喫茶店）だけどね。
吉川　ケーキを食べながら地味にお祝いしているわけですよ。
山本　前回は読書猿さんの『アイデア大全』と花村太郎さんの『知的トレーニングの技術』をとりあげて、どうやって人文学を営むかという方法論に着目しました。
吉川　今回はどうしようかね。
山本　そうだね。ちょうどいま劇場でミア・ハンセン＝ラヴ監督の『未来よ こんにちは』という映画がかかっていて、我々も観にいったんだよね。フランスで高校の哲学教師をしている女性が主人公の作品。劇中での年齢は五〇代くらいかな。
吉川　うん。演じているのはイザベル・ユペールさん。素敵だったね。読者のみなさんにもぴったりの映画だと思うので、ぜひご覧いただきたい。この映画の話からはじめようか。
山本　細部をはしょってとっても大雑把にいうと、主人公の哲学教師がいろんな困難に直面するんだよね。老いた親の介護が必要になったり、夫が――ちょっとネタバレになっちゃうけどいいかな？
吉川　無問題。
山本　夫が浮気をしていることが判明して、さらには離婚を持ちかけられたり。優秀な元教え子の若い男がいて、慕ってくれてはいるんだけど、思想のうえですれ違いが生じたり。

吉川　その元教え子が得体の知れないアナーキストのグループに出入りしはじめて心配したりもする。彼女はなかなか行動的で、グループのアジトに遊びにいったりするんだけど、数学者でテロリストのユナボマー（セオドア・カジンスキー）の本を書棚で見つけたりして。

山本　スラヴォイ・ジジェクもあった。

吉川　彼女は「うさん臭い」なんて文句を言っていたね。

山本　そうそう。あと、彼女は哲学の教科書を監修してるんだけど、売れ行きが芳しくなくて、出版社からそれとなく路線変更を迫られたり。先方は売れ行き重視にシフトしようという姿勢が明らかで、彼女としては不満を覚えざるを得ない。

吉川　彼女はアドルノについての教科書を監修していて、次はホルクハイマーの予定なんだけど……。

山本　フランクフルト学派の哲学者たちだよね。たしかにあんまり売れないかもしれない。

吉川　教科書会社の人から、「フーコーはよく売れているんですけどね」なんて嫌味を言われちゃうし。

山本　まあ、そんなふうに主人公が生活のなかで、家族とか恋愛とか教育とか経済とか、さまざまな困難に遭遇するんだけど、さてそんなとき彼女はどうするかということが、淡々と描かれていく。

吉川　うん。静かな映画だね。

山本　これだけ聞くと、めっちゃつまんない映画だと思うかもしれないけど……。

吉川　おもしろいんだなこれが。

山本　このおもしろさを読者のみなさんにどう伝えたらいいかな?

吉川　うーん。ひとつには、主人公が哲学教師ということもあって、家族や生徒たちとの関わりのなかで哲学的な議論や哲学書、哲学者たちが非常に重要な役割を演じているよね。

山本　うん。

吉川　映画のなかで哲学がひとつの道具立てとして登場するだけじゃなくて、彼女が遭遇する困難との折衝というのかな、どう折り合いをつけていくかということと伝統的な哲学のテーマが内在的に結びついている。

山本　そうそう。

吉川　哲学者の言葉や書物もたくさん出てくるので、すでに哲学をよく知っている人はそのまま楽しめるし、これから哲学を学んでみたいという人には、ひとつの入口になると思う。

山本　そうだね。生活のなかに哲学があるというのはどういうことかという様子が見られるというかね。わかりやすいところでは、彼女の家の書棚にどんな本が並んでいるかとか、学校で高校生たちにどんな教え方をしているかとか、そういった光景も含めて楽しめる。なかでも印象的だったのは、生徒たちのデモで騒然としている高校の教室で……。

吉川 高校生のデモ！　さすがフランス。

山本 彼女は「もし神々が市民なら、民主政を執るだろう。これほど完全な政体は人間には適さない」という言葉をもとに、生徒たちに議論をさせる。

吉川 一八世紀の哲学者ジャン゠ジャック・ルソーの『社会契約論』だね。最初の一冊はこれにしよう。民主政が問い直されているいまこそ読むべき本として。

山本 ルソーはなんでこんなことを言ったのかな。

吉川 なんだろう、国の主権者をつとめるには人間はアホすぎるということ？

山本 (笑)。たしかによく考えてみると不思議なものだね。たとえばこの国の政体はいちおう民主政ということになっているけれど、それがいったいどんな原理のもとで成り立つのか。その正統性はなにか。会社の経営なんかは往々にしてわかりやすい王政や貴族政に近かったりするわけだけど、国はどうやってこんなふうに成り立っているのか。

吉川 そこのところを根本的に考えようというのが『社会契約論』という作品だね。そして自由で平等な社会の原理として彼がとりだしてくるのが社会契約というモデル。自由で平等な諸個人が全員一致の約束によって国家を形成する原理を論じた。

山本 うん。「俺は約束なんかした覚えはないよ」という人もいるかもしれないけど、そういうことではない。これは歴史的な事実の話じゃなくて、民主政が成立するための原理の話だから。

吉川　そして、自由で平等な市民からなる社会の正統性の規準となるのが一般意志と呼ばれるもので、その指導のもとに国家は運営されるという。
山本　この一般意志というやつが難物だよね。
吉川　うん。各個人の意志でもないし政府の意志でもないし、それらの合計でもない。つまり一般意志は特殊意志や全体意志とは違う。
山本　ルソーはこんなふうに言うんだよね。もし人が十分な情報をもって、かつ徒党を組んだりしないで審議すれば、個々人のわずかな相違が集まって、一般意志にもとづいた決議がもたらされるだろうと。
吉川　ポイントは、個々人のわずかな相違が集まるというところかな。平均でも総計でもなく。そこがおもしろい。あいかわらず難しいことには変わりがないけど。
山本　長らく争点になってきたところだよね。東浩紀さんの『一般意志2・0――ルソー、フロイト、グーグル』（講談社文庫、二〇一五年）は、この一般意志を現代の情報通信環境なども視野に入れて問い直す仕事で、題名のとおりルソーをアップデートする試みでもある。
吉川　SNSや動画サイトなんかを例に、思い切った提言がなされていて興味深い。若い人はこの本からルソーの思想世界に入っていくのもいいかもしれない。
山本　本家の『社会契約論』は、古典的作品だけあって各社から文庫や新書のかたちで出ている。岩波文庫、光文社古典新訳文庫、白水uブックス、中公クラシックス、さらに

吉川　「まんがで読破」シリーズにまで入ってる。

山本　すごいね。まんがでも読んでみようかな。

吉川　さて、このルソーという人、これまで話してきたように、近代の国家と政治の基礎を築いた偉大な思想家なんだけど……。

山本　かなり困った人だったようだね。やたらと人間関係のトラブルに悩まされた。自業自得のように思えるところもなきにしもあらずだけど、守旧派からも進歩派からも嫌われて、なんだか気の毒でもある。まあ、リチャード・ローティ[1]がいうように、偉大な思想家というのは、えてして両陣営から攻撃されるものだけど。

吉川　デイヴィッド・ヒューム[2]との交流を描いたおもしろい本もあるね。串田孫一・山崎正一『悪魔と裏切者――ルソーとヒューム』（ちくま学芸文庫、二〇一四年）。この本なんか読んでいると、トラブルの原因はもっぱらルソーの被害妄想じゃないかとも思ったり。

山本　近代の理性的な政体の生みの親であると同時に、個人としては非常に感情的な人でもあった。そこにグッとくる。

吉川　仕事の幅もすごい。二〇一二年に、ルソーの生誕三〇〇周年を記念して国際シンポジウムが東京で開催されたんだけど、じつに多彩なテーマが議論されている。ルソーを肴にすればなんでも語れそうなくらい。ルソーの曲を演奏するコンサートなんかもあったりして。

山本　音楽家でもあったんだよね。みんな知ってる童謡の「むすんでひらいて」はルソーの作曲らしいし。シンポジウムの内容は『ルソーと近代――ルソーの回帰・ルソーへの回帰 ジャン＝ジャック・ルソー生誕三〇〇周年記念国際シンポジウム』（永見文雄、川出良枝、三浦信孝編、風行社、二〇一四年）という本にまとめられています。

山本 政治思想として『社会契約論』、文明論として『学問芸術論』『言語起源論』『人間不平等起源論』、教育論として『エミール』、というあたりがメインの仕事かな。あと、『告白』は自伝文学の嚆矢とされているね。いま触れたように音楽家でもあったし、さらに博物学者として植物にも詳しかった。

吉川 とんでもないね。そういえば、格差というのが近年の大きな話題になっているけど、これをテーマにした好著、稲葉振一郎『不平等との闘い――ルソーからピケティまで』（文春新書、二〇一六年）は、ルソーの『人間不平等起源論』から語り起こされていて、じつに印象的なオープニングだった。

山本 我々の政治・経済・文化の足元を照らしてくれる、いまなお参照すべき思想家ということだね。『人間不平等起源論』は昨年（二〇一六）、講談社学術文庫から新訳も出ました。

吉川 いやー、ルソーパイセン、マジパネエっす。

可能性の条件を探る

カント
純粋理性批判
熊野純彦訳、作品社、二〇一二年

山本　次はイマヌエル・カントにいこうか。映画では、ナタリーの夫でやはり哲学教師をしているハインツはカントの信奉者。

吉川　監督のミア・ハンセン＝ラヴは、ご両親が哲学研究者で、お父さんがドイツ観念論、お母さんがルソーの研究者だったとか。

山本　そのカントだけど、この人もずいぶんと変わっていたようだね。ケーニヒスベルクという田舎町で地味に暮らしながら、人類史に燦然と輝く知的遺産を残した。

吉川　私にとっては哲学者のチャンピオン。

山本　毎日の散歩があんまりにも規則正しいもんだから、町の人たちはカント先生の散歩姿を見て時刻を知ったという話もあるくらいで。

吉川　カント先生ん家の時計が狂ったら町全体も狂ったんだろうか？

山本　知らんがな。このカントという人もルソーとはまた別の仕方で幅広い仕事をした人だよね。デビューは宇宙論だし。太陽系の起源について、カント-ラプラスの星雲説として後世に伝わる有名な仮説もつくった。

吉川　哲学教授になってからは、哲学はもちろんのこと自然学、地理学、人間学などの講義をして、そのどれもが後進に大きな影響を与えた。晩年の『永遠平和のために』なんて、後の国際連盟設立の思想的基盤になったくらいで、現実の国際政治への影響というか貢献も見逃せない。

山本　そんなカント先生の本のなかから、今回はどれを選ぼうか。

吉川　やっぱり『純粋理性批判』かな？　『実践理性批判』『判断力批判』と続く主著、いわゆる三批判書の最初の巻。

山本　いまの若い人が『純粋理性批判』を読むとしたら、どんないいことがあるだろう？　なにしろめちゃくちゃ難しいと評判の、というか悪名高い本に挑戦するわけだから、それなりにいいことでもないいと。

吉川　そりゃそうだ。うーん。カントは、哲学は四つの問いに答えるものだと言っている。「わたしはなにを知ることができるか？」「わたしはなにを為すべきか？」「わたしはなにを望んだらよいか？」、そして「人間とはなにか？」……これらの問いに答える前代未聞の挑戦がカントの三批判書なのだとしたら、ぶっちゃけ、これを読まない理由のほうが見つけづらくない？　逆に。

山本　攻めるね。とくに『純粋理性批判』で俎上に載せられる「わたしはなにを知ることができるか?」というのは、ポスト・トゥルースとかオルタナティヴ・ファクトなんて言葉が飛び交ういま、あらためて問いかけられる必要があるかもね。カントはこの本で、我々が物事を知るにいたるメカニズム、そして知ることができる物事の範囲を画定しようとした。

吉川 うん。カント哲学のいいところは、考察対象の是非を云々するだけじゃなくて、それが成立する条件を吟味するやり方を示してくれること。たとえば、のっぴきならない意見の対立が生じている場でも、両方の意見がともに前提としている条件を明らかにすることができれば、調停なり第三の意見なりへの道を拓くことができる。

山本 三批判書のタイトルに表れているとおり、カントの哲学は批判哲学と呼ばれるんだけど、この批判というのは非難や否定じゃなくて、いま言った条件の吟味という意味なんだよね。岡崎乾二郎さんの『ルネサンス 経験の条件』(文春学藝ライブラリー)という名著があるけど、まさにこれのこと。

吉川 さっきもちょっと名前の挙がったジジェクがいいことを言っていてね。いちおう哲学は紀元前六〜五世紀ごろにはじまったとされているけど、一八世紀のカントの批判哲学にいたって、ようやく本当の意味で哲学がはじまったんだと。ジジェクらしい極端な言い方だけど、私は大賛成。

山本 よく哲学の対象として真・善・美[3]というじゃない。三批判書というのは、『純粋理性批判』で真、『実践理性批判』で善、『判断力批判』で美、それぞれが成り立つ条件を明らかにした仕事といえるね。そう考えると、たしかに読まない理由が見つからないかも。

吉川 それな。さっきルソーを引き継いだ東浩紀さんの話をしたけど、日本でカントを引き継いだ仕事をしている人といえば……。

山本 柄谷行人さんだよね。もちろんカントという人は昔から人気があって、旧制高校の教養主義の時代には「デカンショ」（デカルト、カント、ショーペンハウアー）と呼ばれたくらいなんだけど、我々の世代では断然、柄谷さんだね。

吉川 主著の『トランスクリティーク――カントとマルクス』（岩波現代文庫、二〇一〇年）は、カントとマルクスの方法論の核心を取り出して、そこからありうべき未来社会を構想するという壮大な作品。

山本 カントが活動をはじめたころの哲学は、イギリス経験論と大陸合理論と呼ばれる二大流派の対立の時代だった。そこへカントが現れて、両陣営が共通に拠って立つ土俵を明らかにしながら、両者を調停・超克するような哲学をつくりあげていく。異なる立場を移動（＝トランス）しながら、それらが成り立つ条件を批判（＝クリティーク）する。

吉川 トランスクリティークというのは、カント（とマルクス）のそういう方法論に対して柄谷さんがつけた別名というか、キャッチフレーズのようなものだね。

山本 いま出てきた経験論と合理論の対立というのは、昔話でもなんでもなくて、たとえば仕事をしていても、経験重視の人と理論重視の人がいる。それで、お互いを毛嫌いしたり、批判したり、遠ざけたりする。まあ、そういう対立自体、感性と知性の複合体である人間のあり方から必然的に生じるということは、『純粋理性批判』が明らかにしているとおり。

吉川 あるある。根深いよね。とはいえ、同じチームで仕事をする以上、ゲームづくりであれ売上向上であれ、対立する双方の視点を移動しながらチームのよりどころとなる条件を見出して、つまりトランスクリティークをほどこして、なんとかミッションを成功に導かなければならない。

山本 仕事で使える『純粋理性批判』と『トランスクリティーク』。

吉川 ますます読まない理由が見つからない！

山本 ところで三批判書には、これまたたくさんの種類があるんだけど、どの邦訳を選ぼうか。

吉川 作品社から刊行されている熊野純彦さんの個人全訳はどうかな。最新の邦訳のひとつだし、『判断力批判』のコメンタリーである渾身の力作『カント 美と倫理とのはざまで』（講談社、二〇一七年）も出たことだし。

山本 そうだね。熊野訳を手がかりにして、複数の翻訳を比べて読むとさらにいいかも。もちろん、原文を覗いてみたい人はドイツ語の本も横に並べてみるといいね。カントの原文は、ネットでも見つけられるので。本がよい人はレクラム文庫[4]のように手軽に入手できる版もある。

吉川　そういう点では、いろいろな言語にも訳されているから、自分が得意な言語のものを見比べるのもいいよね。どっぷりカントに浸かりたい人には『カント全集』（岩波書店）もある。

山本　解説書としてはなにがいいかな。つい先ごろ、ローティのお弟子さんの冨田恭彦さんが書いた『カント入門講義――超越論的観念論のロジック』（ちくま学芸文庫、二〇一七年）なんて本も出た。

吉川　英米系の哲学研究者らしい明快な解説だね。あと、惜しくも二〇一三年に亡くなられたカント研究者の石川文康さんの『カントはこう考えた――人はなぜ「なぜ」と問うのか』（ちくま学芸文庫、二〇〇九年）も、私の好きな入門書。

山本　そういうわけで、今回は『未来よ こんにちは』という映画の話からはじまって、それにちなんだルソーとカントという哲学界のスーパースターの本について、お話ししました。

吉川　軽いノリで紹介したけれど、少なくともカントにかんしていえば、まともに読もうとすれば数か月はかかるよね。そこんとこ覚悟をお願いします。

山本　とはいえ、連載「人文的、あまりに人文的」としては、いつかは触れざるをえない本であることもたしかだよね。来月みなさんに進捗を聞いてみようか。

吉川　健闘を祈ります。

山本　ではまた、ご機嫌よう。

註

1 リチャード・ローティ（一九三一―二〇〇七）　米国の哲学者。近代哲学を批判、独自のプラグマティズム＝ネオプラグマティズムを確立した。主著に『哲学と自然の鏡』（産業図書）。

2 デイヴィッド・ヒューム（一七一一―七六）　一八世紀イギリスを代表する哲学者、歴史家。一七六三年、フランスに渡りパリの在仏英国大使館に勤める。一七六六年にルソーとともに帰国するが一年とたたないうちに不和となる。

3 真善美　認識上の真、倫理上の善、審美上の美。理想として普遍的、絶対的な哲学の価値のこと。

4 レクラム文庫　ドイツのレクラム出版が一八六七年に「世界文庫」として創刊した叢書を指す。安価で手に取りやすい形式で古典名作を中心に刊行。岩波文庫（一九二七年創刊）は、岩波書店創業者の岩波茂雄が学生時代に親しんだレクラム文庫に倣ったもの（『岩波書店五十年』）。

13

吉川　このところ立て続けに注目すべき人文書が出たね。

山本　東浩紀さんの『ゲンロン0――観光客の哲学』（ゲンロン）、國分功一郎さんの『中動態の世界――意志と責任の考古学』（医学書院）、千葉雅也さんの『勉強の哲学――来たるべきバカのために』（文藝春秋）、いずれもその人でなくちゃ書けないような才気溢れる本だ。

吉川　ネットでも、三冊並べて読んでいる人たちを見かけたけれど、こうも豊作だと読者としてはうれしい悲鳴だ。

山本　相談したわけじゃなかろうけれど、三冊とも白を基調とした装幀。

吉川　というわけで、この三冊を取り上げたいんだけど、この連載の掟では、扱うのは二冊なんだよね。

山本　掟を破ると抜け忍みたいに追われる身になるので気をつけないと……。

吉川　読者のみなさんが手に手に鎖鎌やカタナを持って。

山本 コワイ！

吉川 我々もまだ命が惜しいので二冊を選ぼう。

山本 残る一冊はいつかのお楽しみにとっておくということで。

能動でも受動でもない世界との関わり方

國分功一郎
中動態の世界
――意志と責任の考古学
シリーズケアをひらく、医学書院、二〇一七年

山本 まずは國分功一郎さんの『中動態の世界』から行こうか。

吉川 うん。これはまたすごい本だね。山本くん、書評を書いてたね。

山本 そう、日本経済新聞に書いたんだけど、[1] あの文字数（九〇〇字）でこの本を紹介するのはしんどかった。いい意味で。

吉川 何を取り上げて何を捨てるか、取捨選択に読み手の見識が問われたりもするよね。

山本 だから書評っておっかないんだよね、本当は。どのくらい読めてるか読めてないか、ある意味、知的に人前で裸になるようなものでもあるから。

吉川　というわけで、今日も裸になってみようか。

山本　（笑）。どこから行こうか。

吉川　やはり書名にある「中動態」ってなに？　というところからかな。

山本　「中動態」というのは文法用語で、動詞の状態を表す言葉だね。

吉川　動詞といえば、能動態や受動態はおなじみだけど、中動態はあまりお目にかからないかも。

山本　そうそう、例えば日本語が母語で英語をかじったことがあるという場合、耳馴染みがないとしても無理はない。

吉川　能動態は、「私は〜する」で、受動態は「私は〜される」。別の言い方をすれば、能動態は、自発的になにかをする。受動態は他からなにかをされる。

山本　能動態と受動態という区別はとてもクリアだし、それで事足りるようにも思える。でも國分さんは、この本で能動態・受動態というかたちで行為を捉えるものの見方自体を再検討してみようと提案している。

吉川　人が当たり前だと思っていることを懐疑してみる。まさに哲学の営みだね。

山本　そう、果たして私たちのやっていることは、そんなにすっぱりきっぱり能動と受動で分類できるのだろうかと。

吉川　具体例で考えようか。例えば、そうだな、「読む」なんてどう？　いまちょうど読者の

山本　みなさんも、この対談を読んでいるところだし。

吉川　いいね。物事を明確にするために、言葉を略さず書けば「私は『人文的、あまりに人文的』を読む」というのがいまのみなさんの状態だ。

山本　普通に考えれば、これは能動態だ。私が自発的に読んでいる。

吉川　では、もうちょっとじっくり観察してみよう。人がものを読むとき、なにが起きているのか。

山本　ブックデザイナーのピーター・メンデルサンドが『本を読むときに何が起きているのか』（フィルムアート社、二〇一五年）という（いい意味で）変な本を書いていたね。

吉川　あれはまさに、小説を読むとき、その人の脳裏ではなにが起きているのかを絵と言葉で捉えようとした実験みたいな本だった。

山本　トルストイ『アンナ・カレーニナ』を読むとき、登場人物の姿はどこまでヴィジュアルに思い浮かべるものか、とか。

吉川　そうそう。ここでもあんなふうに、ちょっと詳しく読むという行為を眺めてみよう。『ゲンロンβ』ならPCとかスマートフォンで読んでいる。まず、なんらかの文字が印刷されている紙を目の前にして読んでいるとしようか。

山本　その時、読者はページを見て、文字列に沿って目を動かしている。場合によっては頭とか首とか体が動くこともある。

吉川　人は自分で目を動かしているとも言えるけれど、文字列にいざなわれて、頁の特定のコース上を動かされているとも言えそう。

山本 目の動き方は、文字列の並び方に制約されているわけだね。

吉川 もちろん文字列の並びを無視してページの上とかページの外に視線を動かすこともできるけれど、読もうという場合は、ページに展開された文字や図版の配置に従って、動きに制限をかけられながら目を動かしている。

山本 そうなると、これを純粋に能動的と言ってよいかどうか怪しくなってくるね。

吉川 しかも、いまのは身体とか物理の話だったけれど、読む場合、さらにもう一つ、意味を読み取ることも含まれている。これはどうかな。

山本 いままさにこの対談の文章をお読みのみなさんは、文字を目で追いながら、そこに並ぶ言葉から、なんらかの意味を受け取ったり、思い出したりしているわけだよね。

吉川 黒い犬。

山本 どうしたの急に。

吉川 ほら、「黒い犬」という文字を目にしたら、読者の脳裏にどんなイメージが浮かぶかと。

山本 じゃあ、白い雲。

吉川 メタリカ。

山本 百万塔陀羅尼。

吉川 I would prefer not to.

山本 なんだこれ（笑）。

吉川　目にした言葉から、脳裏でなにかが思い浮かんだり、「?・」が思い浮かんだりしたんじゃないかな。

山本　つまり、それは果たして能動的なことなのか、というわけだね。

吉川　そう、目にした文字を言葉として認識して、言ってしまえば体（脳）が勝手になにかを思い出す。

山本　そうして思い浮かべながら、次の言葉を読んでゆく。それまでに読んで思い浮かべたことを全部そのまま覚えているわけじゃないんだけど、それを手がかりにして先を読んでゆく。

吉川　こんなふうに、読むという営みは能動態で表されるし、自発的な行為のような印象があるけれど、実際には受動的でもあるし、自分の脳内で生じていることは意識によってコントロールしているとも言えない状態にある。

山本　純粋に能動的とも受動的とも割り切れない状態がある。という言い方は順序が逆で、本来、読むという行為はいま検討したような営みなんだけど、私たちがそうした行動を分類するモノサシとして、能動と受動しか持っていないから割り切れていないように感じられるだけ。

吉川　國分さんは、こうした能動と受動という、私たちが半ば無意識に採用しているものの見方を検討にかけ直しているわけだ。

山本　認識の条件、経験の条件を問い直す認識の仕方を、哲学では超越論的認識と言ったりもする。

吉川　個々の具体的な経験や認識ではなくて、そういう経験や認識を成り立たせている前提とか条件を検討する態度。「超越論的」という言葉自体は、ヨーロッパ中世のスコラ哲学に由来するものだけれど、いま述べたような意味で使ったのは、前回登場してもらったカントだった。

山本　『中動態の世界』は、私たちのいろんな行動・行為や、それを表現する言語について、超越論的に探究する試みであるわけだ。

吉川　ところで明確に説明しないまま進んできちゃったけど、中動態はなんて説明すればいいかな。

山本　そうだったね。これは古典ギリシア語の文法用語なんだけれど、従来の文法書では分かったような分からないような説明も少なくなかった。例えば、田中美知太郎と松平千秋の『ギリシア語入門 改訂版』（第七刷、岩波全書、一九六九年）では、こんなふうに説明してあるよ。文中の「相」というのは「態」のこと。

　中動相はある意味においてその名称の示すように、能動相と受動相との間の中間的な機能をもつ相であるとも言えるが、その本来の意義はむしろ能動相である。ただ中動相には能動相の場合に比べて、動詞の表わす動作がその主語に対して利害その他の点で何か特別に深い関係をもっている場合が多い。（同書、五二―五三

吉川　たしかに、ちょっと扱いあぐねている感じのする説明だね。

山本　でしょう？　私もうまく飲み込めなかったものだから、いくつかの文法書で説明を読んでみたけど、だいたい同じだった。

吉川　國分さんは、なぜ中動態がそんなふうにぼんやりした捉え方になってしまったのか、いわば見失われてしまったのかを丁寧に浮かび上がらせていて、その点も本書の読みどころです。

山本　うん、もともと古典ギリシア語では能動態と中動態が対だったところ、徐々に能動態と受動態に置き換わっていった過程を論じている。さらには憶測と断った上で、能動態より先に中動態があったのではないかという仮説も提示しているところなどは、とても興奮しながら読んだ。

吉川　まさに概念の考古学だ。

山本　國分さんの整理では、能動態というのは、ある人から発された行為がその人の外で完結する。それに対して中動態は、行為をしている人がその行為の過程のなかにいる。さっきの『ギリシア語入門』の説明にあった、動作が自分に関係するというのもその一例だ。

吉川　ただ、さっきも話したように、行為をつぶさに観察していったら、たいていのことはする／されるが混在しているようにも思えるよね。

山本　そう。あと、どのくらいの時間の幅で見るかによっても能動態と言い切れないことがありそう。例えば、水を汚染するような物質を海に流したとして、すぐには自分に影響しない。でも、巡り巡ってその汚染物質を体内に蓄積した魚を食べて、結果的に自分の体に入るとか。これはちょっと極端な例かもしれないけれど。

吉川　原因と結果のあいだが時間的・空間的に隔たっていて、すぐには因果が分からないようなケースだね。短期的に見ると能動態だけど、長期的に見たら中動態的みたいな。

山本　こうなると、行為と環境の関係を、動詞という文法の見方ではどう捉えられるか、捉えきれないか、という話にもなってきそう。

吉川　それともうひとつ触れておきたいのは、「意志と責任の考古学」という副題。いまの話に意志や責任はどう関わっているか。

山本　これはそうだね、例えば遅刻の例で考えてみたらどうかな。

吉川　ふむ。

山本　学校に朝九時半に到着しないと遅刻になるとする。ところが九時四五分に到着した。

吉川　「山本、遅刻だぞ！」

山本　ここで「てへへ、寝坊しました」と答えた場合……。

吉川　「駄目じゃないか、どうせ朝までゲームでもやってたんだろ。自己管理がなっとらんな。だいたいなんだその態度は、遅れてきておいてへらへらするんじゃない！」

山本　とかいって叱られる。でも、ここで「人身事故の影響で電車が大幅に遅延しました」といって、遅延証明を出した場合はどうだろう。

吉川　「それでは仕方ないな」と、許される。

山本　学校に遅れた事実に変わりはないのに、怒られるか、許されるかという違いはどこで生じるか。

吉川　寝坊は自分の責任で、遅延は自分のせいではない。

山本　自分で意志を持って能動的に行ったことには責任がついてくる。自分の意志とは関係なく生じた出来事については必ずしもそうならない。

吉川　もっとも寝坊はどこまで意志による能動的行為なのか分からないけれど、仮に明け方までゲーム三昧だった場合、寝坊の原因は睡眠時間を削って遊んでいたことにあると見なされる。これは意志による能動的行為であり、寝坊はその結果であると。

山本　他方で、國分さんが挙げているカツアゲの例のように、誰かに強制されてお金を渡すような場合、これはまず単純に自発的な能動的行為とは言いがたい。

吉川　なにしろ強制されているわけだ。

山本　かといって受動的行為とも言いがたい。

吉川　自らお金を差し出している。

山本　まさに中動態的。

吉川　意志とはなにか、こういう出来事では意志はどう働いているのか、いないのかが、よく分からなくなる例だね。

山本　今回は触れなかったけれど、國分さんはこうした検討を進めるなかで、意志について考えた先哲たちの仕事を中動態の観点から見直してもいる。

吉川　言語学者のバンヴェニストを導きの糸にして、ハイデッガー、ドゥルーズ、アレント、スピノザといった人たちによる意志や行為にかんする見方を捉え直していて、『スピノザの方法』（みすず書房、二〇一一年）、『ドゥルーズの哲学原理』（岩波書店、二〇一三年）、『暇と退屈の倫理学 増補新版』（太田出版、二〇一五年）をはじめとする、これまでの國分さんの仕事とも互いに響き合っている。

山本　そういえば、雑誌『atプラス』第三二号に掲載されている「動く人」第一一回の「哲学の生まれる場所」では、國分さんの大学時代の関心や『中動態の世界』についても語られているから、合わせて読んでもいいね。宣伝になっちゃうけど、この号は吉川くんが編集協力で「人間の未来」という特集も組まれている。

吉川　かねてより注目してきた若い人たちに声をかけまくりました。

山本　『早稲田文学』[2]に続いて表紙とグラビアも！

吉川　ほんと誰得ですみません。でも、特集は『ゲンロンβ』読者のみなさんにもお楽しみいただけると思います。

山本　話を戻せば、『中動態の世界』は、私たちが自明だと思ってきた能動と受動による見方を揺さぶって、改めて行為や意志に目を向けさせてくれる本です。

アイロニーとユーモアによる変身のすすめ

千葉雅也
勉強の哲学——来たるべきバカのために
文藝春秋、二〇一七年（増補版、文春文庫、二〇二〇年）

吉川 次は千葉雅也さんの『勉強の哲学』に行ってみようか。

山本 これは変身のための本。分野とか仕事とかに関係なく、変身したい人はまず読んでみるといいと思う。

吉川 書名にあるように勉強がテーマなんだけど、勉強って千葉さんも強調しているように、それまでの自分を破壊することだよね。

山本 誇張でもなんでもなく、一種の自分改造だ。知識を得たり、概念を理解すると、それまで見えなかったものが見えるようになったりもする。それこそ、さっきの中動態という概念を知っているのと知っていないのとでは、行為とか言語に対する見方も違ってくる。

吉川 それから、これも『勉強の哲学』で確認されていることだけれど、人はそれぞれ、ある環境や関係のなかで生きている。そこにはいろんなお約束とか、お作法とか、常識みたいなものがある。私たちは、そうした環境によくもあしくも馴染んで暮らしているわけだ。

山本　例えば、学校に入学したてのときとか、会社に就職したてのときは、はじめて参加する場について、右も左も分からず、いろいろなことが新鮮に感じられたり、物珍しく見えたりする。でも、何年かそこで暮らしていくうちに、当初は違和感があったことも、そういうものとして慣れて、やがて気にならなくなる。

吉川　そのほうが楽ということもあるよね。お約束やお作法って、それに則っておけば、とりあえず無難、文字通り難を避けて過ごせるということもある。でも、他方でそうしたお約束やお作法に馴染み過ぎると、問題を感じてしかるべきことでもなんにも感じなくなったりする。

山本　そうそう。例えば、企業のなかで組織が縦割りになっていて、本当なら部署の区別に関係なく情報を共有すればいいのに、なぜかそうしないことになっていて、結果的に傍から見たらとても無駄なことをしている、なんて例はあちこちで見かける。

吉川　中にいると「そういうものだ」と思って、そのままになりがちだよね。

山本　家族、友人、職場、地域、国家、あるいは専門領域とか趣味とか、どんな単位でもいいけれど、ある人間の集団にはそれぞれ固有の常識のようなものが生じる。そうした環境にあまりにも馴染みすぎてしまうと、それ以外の環境のことも理解しづらくなる。

吉川　ジリアン・テットが『サイロ・エフェクト』[3]（文藝春秋、二〇一六年）で指摘した専門化社会の罠なんかも、同じ話といえるね。

山本　勉強とは、いま自分がいる場所や知識の状態から出て、未知のなにかと遭遇することでもある。そのためには馴染んだ環境から離れる必要がある。千葉さんは、この本で、どうしたら変身して環境と距離をとれるかを、実践できる形で懇切に提示している。

吉川　なぜ環境から離れるかといえば、特に同調圧力が強くて、みんなと違うことが嫌がられるような環境や、生き方について「こうあるべきだ」と押しつけてくるような環境では、自由を制限されてしまうから。

山本　千葉さんは、勉強とは、そういう制限を破って、人生の可能性を開くためにやるのだと位置づけているけれど、同感だな。

吉川　いわば環境のノリから外れて、いったんノリの悪い状態になる。

山本　その鍵を握るのが言語。

吉川　私たちが世界を見たり理解したりするとき、言語の介在は大きな役割を果たしている。

山本　昔、養老孟司さんが解剖学について言っていたことを思い出すね。もともと人体はひとつながりのものなんだけど、それだと把握しづらいから、言葉で「ここは尺骨」「ここは上腕二頭筋」という具合に、区切りを入れている。

吉川　人やものや場所の名前はもちろんのこと、自分や他人の感情、時間なんかも言葉がなかったらうまく認識できるかどうか。

山本　言葉や言葉で表現される知識って、例えるならAR（拡張現実）みたいなものだ。

吉川　スマホをかざすと、現実の空間に情報や各種データが重なって見えたり、そこにポケモンがいるように見えたりするあれだね。

山本　そう、いわば言葉で世界にタグを貼り付けて見ているわけだ。

吉川　脳裏の備えている言葉や知識に応じて、貼り付けられるタグの種類も人それぞれ。ある人には、全部「木」にしか見えないものも、人によっては「椎」「樫」「松」「橡」とそれぞれ異なって見えたりする。

山本　で、言葉は現実を描写することにも使うけれど、小説を典型として虚構、つまり現実ではないことを描くこともできる。

吉川　簡単に言ってしまえば、そうした性質を持つ言語を使って、現実とは別の可能性の世界を描ける。要するに、いまいる環境から想像の上でズレることができる。

山本　千葉さんはそうした言語の使い方を「玩具的な言語使用」と呼んで、言葉で遊ぶことを薦めている。

吉川　それが自由になるための条件だとも言っているね。より具体的には、言葉を使ってアイロニー（ツッコミ）とユーモア（ボケ）を発揮するやり方が示されている。

山本　つまり、ある環境において自明になっている事柄を鵜呑みにするのではなく、ほんとにそうかなと疑ったり、ダジャレみたいにズラしたりすること。例えば夏目漱石は読んだ本にいろいろと書き込みをしているんだけど、あまり気乗りのしないときには

吉川　「ソーデスカ」なんて書いている。ボケなのかツッコミなのか微妙なところだけど。これだけである種のズレが生じるね。あるいは、語源を見てゆくと、それまで特に気にせず使っていた言葉が異物のように見えてくるなんてのも、いわば言葉に対するツッコミでありボケである。

山本　それこそ「哲学」という日本語は、日本語に見えてその正体は古典ギリシア語だとか、英語の philosophy に対して中国語を参考にしつつ訳した語だなんて分かると、馴染んでいたはずの日本語という環境が、俄然揺らいで、あちこち別の言語につながっている様子も見えてくる。

吉川　あの言葉はどこから来たのか、この言葉も翻訳語で正体は別の言語なのか、とかね。

山本　そうなったらもう、無自覚に日本語を使えなくなる。母語というあまり自覚しなくても使えた言語が、外国語のような異物に感じられるかもしれない。

吉川　でも、そんなふうに自明の環境から浮くことができたら、勉強としてはしめたもの。これはほとんど哲学するためのコツでもあるね。

山本　さらにはどんな学問や技芸術にも通じることだよね。問いを抱くことで、同じものを見ても、それまでとは違う見方をできる。そこから発見や創作も生まれるわけだから。

吉川　もうひとつこの本がいいのは、いま話してきたような原理的なことと同時に、勉強のための本の選び方・使い方とかノート術、途中で嫌にならず続ける方法とか、とても実践的な指南書でもあるところ。

山本　本のつくりや文体も、いわゆる自己啓発書のようなスタイルが採用されている。込み入った話をしているはずなのに、目の前で千葉さんがざっくばらんに話しているような感じで読める。文章も、かなり丁寧に調整・工夫されているね。高校生ぐらいの時、こんな本に出会っていたら愉快だろうなって思ったよ。

吉川　それにしても千葉さんご自身も変身を続けているね。著作という点では『動きすぎてはいけない――ジル・ドゥルーズと生成変化の哲学』（河出書房新社、二〇一三年）、『別のしかたで――ツイッター哲学』（河出書房新社、二〇一四年）ときて、このたびの『勉強の哲学』。いずれもまるで違うスタイルで書かれた本だ[4]。

山本　千葉さんの思索自体が、『勉強の哲学』に書かれている特定の環境からの離脱、あるノリから別のノリへの移動の実践でもあるわけだ。私は同書を読みながら浅田彰さんがかつて書いた「シラケつつノリ、ノリつつシラケる」に通じるものがあると感じた。

吉川　『構造と力』（浅田彰、勁草書房、一九八三年）だね。得体の知れない熱狂が渦巻くときにこそ、アイロニーとユーモアで別なる可能性が目に入るようにしたいところだ。さて、今回はこのくらいにしようか。

山本　ではまた、ご機嫌よう。

註

1　山本「能動でも受動でもない行動」（書評：『中動態の世界』國分功一郎著）日本経済新聞朝刊2017年4月29日付

2　『早稲田文学　二〇一六年秋号』（筑摩書房）。藤田貴大と吉川浩満の対談「理不尽な「いま」をどう描くか」を所収。

3　『サイロ・エフェクト─高度専門化社会の罠』（ジリアン・テット著、土方奈美訳、文春文庫）
サイロ化とは、企業の組織などが組織外との交流を絶ち、独自に業務を進め孤立してしまう状況のこと。ソニーが発表した互換性のない複数の次世代商品やニューヨーク市を題材に、文化人類学者の著者が、専門化が招いた事態を検証する。

4　千葉雅也　二〇一九年一一月には小説『デッドライン』（新潮社）を発表。同書で第41回野間文芸新人賞受賞。

14

シンギュラリティ論議は現代の神話？

ジャン＝ガブリエル・ガナシア
そろそろ、人工知能の真実を話そう
伊藤直子監訳、小林重裕ほか訳、早川書房、二〇一七年
（『虚妄のAI神話 「シンギュラリティ」を葬り去る』、ハヤカワ文庫NF、二〇一九年）

山本　みなさん、こんにちは。

吉川　今回はサイエンス／テクノロジーに関する本を選んでみました。

山本　一冊目は、ジャン＝ガブリエル・ガナシアの『そろそろ、人工知能の真実を話そう』。なんとなくサンデルの『これからの「正義」の話をしよう』[1]を連想する書名。

吉川　ガナシアは、パリ第六大学でコンピュータ・サイエンスを専門とする哲学者。人文学と自然学の両方にまたをかけた知性だね。

山本　邦題も内容をズバリ要約しているけれど、「真実」の中身を示す代わりに思わせぶりなところがちょっと雑誌的かな。原題のほうは、そのまま訳せば『シンギュラリティの神話——人工知能を恐れるべきか?』となる。

吉川　まさにこの本の主張そのものだね。人工知能（以下「AI」と略記）の話につきもののシンギュラリティというアイデアを「神話」だと指摘している。

山本　まず確認すると、シンギュラリティといえば、レイ・カーツワイル[2]がよく知られているけれど、本書によれば、この言葉は一九八〇年代にアメリカの数学者でSF作家のヴァーナー・ヴィンジの小説で広まった。ヴィンジは一九九三年に「来たるべきテクノロジカル・シンギュラリティ The Coming Technological Singularity: How to Survive in the Post-Human Era」というエッセイを発表している。[3]

吉川　そこで、情報技術の進展によって人間をはるかにしのぐ知性が誕生する「技術的特異点（テクノロジカル・シンギュラリティ）」という発想を提示した。一九九三年から二〇二三年の間に起きるという予想つき。

山本　ヴィンジは、自分のSF小説でも技術的特異点が到来すると何が起きるかという話を書いている。若島正さんが訳した『マイクロチップの魔術師』というサイバーパンクの先駆けのような小説もあったけど、いま手に入るかな。

吉川　新潮文庫だね。残念ながら版元品切れで、古本だとけっこうな値段になる。もし技術によってこういうことが実現したら、そのとき、人は何を考え、何をするか、という設定は、まさにＳＦの醍醐味でもある。

山本　他方で、先ほどのエッセイのように、小説の枠を飛び出して、一種の未来予測の形でも議論されるようになったわけだ。

吉川　このところのＡＩブームでも、シンギュラリティという言葉が飛び交っている。

山本　うん。香具師のように触れ回る人もいたりして、言葉が一人歩きしているケースもありそうだ。

吉川　そういう状況もあって、ガナシアは、この本でシンギュラリティ待望論、あるいはシンギュラリティによって引き起こされるディストピア論を徹底的に批判している。そんなものはないから、と。

山本　実際には、人工知能が人間の知能（自然知能）を凌駕するといっても、そもそも何が知能なのかさえ、いまだに判然としていないのが実情だからね。

吉川　ただ、シンギュラリティに現実味を感じる人が出てくるのも無理からぬところではある。なにしろ、現にＡＩによって、囲碁や将棋のようなゲーム、あるいは機械翻訳や検索、画像処理や各種統計データのように、威力を発揮している分野もあるから。

山本　そう、ポイントはそこだよね。課題と状況をぐっと限定して、人間がお手本を示したり、ＡＩを調教したりすれば、その範囲ではいい線をいけるようになってきたのは事実。表面的には、各種課題をこなせるように見えるんだよね。

吉川 しかし他方で、そこには相変わらず従来から指摘されてきたフレーム問題などは未解決のまま残ってもいる。

山本 例えば、はこだて未来大学の松原仁さんが挙げている例だけど、「他人に迷惑をかけるな」と命令されたＡＩが、これを解釈するためには、「迷惑とは何か」をさらに定義（限定）する必要がある。でも、何が迷惑になるかは、それこそ状況次第だし、関連する要素が無数にある。そこで、「この範囲で選ぶ」という枠（フレーム）を設けないと動けないんだけど、ＡＩは自分でこのフレームを設定できない。

吉川 ちょっと前に東大ロボが、言語の解釈に関する科目で成績を伸ばせなかったというニュースがあったけど、文章を読んで適切な解釈を施すのもフレーム問題に関わっている。

山本 という話は、以前のＡＩブームの折りにも既に検討されていた。そして、いまでもＡＩにとっての難問として立ちはだかっている。

吉川 さっき話したように、課題を限定すれば実用できるという状況にもなっているんだけどね。

山本 フレーム問題の擬似解決とでもいおうか。原理的には解決していないんだけど、課題と状況を絞ってパターンを学習させることで、ＡＩにもこなせることがある。

吉川 車の自動運転なんかを見れば、その延長上でシンギュラリティもやがて、と想像したくなるのも気持ちとしては分かるよね。私だって、心情としては経済学者の井上智洋さんがいうＡＩ＋ＢＩ（ベーシックインカム）の世界になってほしいもの。[4]

山本 なんなら週休五日とかでね（笑）。

吉川 私がこの本で面白いと思ったのは、著者がシンギュラリティ論を、グノーシス主義に喩えているところ。

山本 グノーシスとは、もともとギリシア語で「知識」とか「認識」という意味。宗教用語としては、隠された究極の知恵、霊的知識を獲得することで、救済されるというヴィジョンだった。

吉川 ガナシアは、喩えとしてだけれど、シンギュラリティの発想が、そうしたグノーシス主義の物語、神話とよく似た構造を持っていると指摘している。

山本 それを脱神話化しようというわけで、一種の憑きもの落としだね。

吉川 そう。しかも、きちんと批判をするために、シンギュラリティや人工知能という概念の歴史も手際よく整理してくれているので勉強にもなる。

山本 そんなわけで、シンギュラリティってなんだ？ とか、ＡＩの出現で社会はどうなるのだろうといったことに関心がある人には必読の一冊ですね。また、過熱気味のシンギュラリティ論議に冷静さを取り戻そうとする一冊でもある。

我々はハイパーヒストリーの時代に突入した？

ルチアーノ・フロリディ
第四の革命
——情報圏が現実をつくりかえる
春木良且・犬束敦史監訳、先端社会科学技術研究所訳、
新曜社、二〇一七年

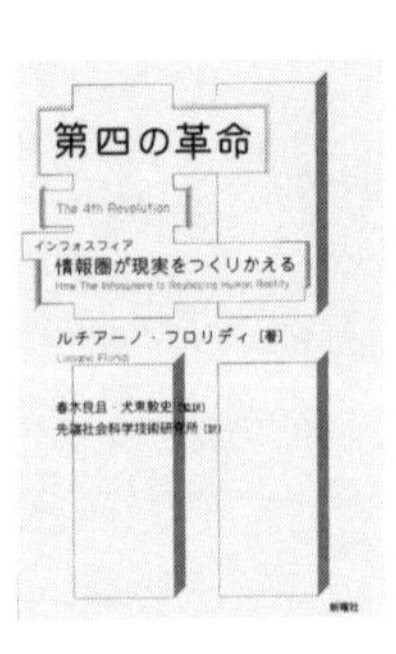

吉川　さて次だけれど、今度はもう少し大きな状況を俯瞰するような本にしようか。

山本　ルチアーノ・フロリディの『第四の革命』だね。

吉川　「情報圏が現実をつくりかえる」という副題が添えられている。「情報圏 infosphere」は、本書の鍵となる概念。

山本　今年（二〇一七年）がロシア革命一〇〇周年だからというわけでもないけれど、何か劇的な変化がもたらされるかのような、見ようによってはワクワクしないでもない書名。

吉川　なにしろ「革命」だから。

山本　第四というからには、第一から第三がある。

吉川　そう、順に述べれば、第一の革命は、コペルニクスによるもので、地球は宇宙の中心ではないという転換。第二の革命は、ダーウィンによる進化論で、ヒトは生物の中心ではないという転換。そして第三の革命は、フロイトによる精神分析で、人間は意識の主人ではないという転換。

山本　いずれも人間中心主義の見方をひっくり返したものの見方、世界観の革命というわけだ。

吉川　そう、宇宙↓生物↓意識という具合に、巨視的な観点から微視的な観点まで、という具合に順次ものの見方がひっくり返されてきた。

山本　そこへさらに第四の革命が生じた、という見立て。

吉川　ＩＣＴ（Information and Communication Technology、情報通信技術）の発展によって、我々人間は情報の主人ではなくなった、いまや情報ネットワークの構成要素にすぎない、というのがその内実。革命の父としてアラン・チューリングの名が挙がっている。

山本　そこは人によって感じ方が違うところかもしれないね。「そんなことはないぞ、オレはオレのスマホを使って、情報を活用しているし、そういう意味では情報の主人だ」と感じる人もいそう。

吉川　実際、コンピュータにしてもスマートフォンにしても、あるいはそれを動かしているソフトウェアにしても、我々はそういう装置を主体的に活用しているように感じるのはたしか。

山本　ただし、フロリディは「情報圏」というくらいで、もはやＩＣＴは私たちにとって、単なる道具ではなくて、我々を取り巻く環境そのものになっていると見ている。

吉川　喩えるなら、水や空気のように、我々の生活がそれに依存しているような存在だ。そんなふうにネット環境やWi-Fiは我々の生活を支えるライフラインになりつつあるというわけだ。

山本　面白いことに、ＩＣＴはそれを実現しているアーキテクチャそのものを実感しづらい仕組みでもあるよね。我々はふだん、自分が手元のスマートフォンから送ったメッセージが、どこをどう経由して物理的に相手の手元に届いているかということを、特に意識しないで使っている。

吉川　そんなふうに自覚しづらいけれど、情報圏は確実に我々を取り巻く環境の一部になっている。で、フロリディは、そうした情報圏という環境は、我々が世界を知覚する仕方やものの考え方、生き方に影響を及ぼしていると指摘している。

山本　それは卑近な例で考えても頷けるところだろうね。例えば、フェイスブックとかインスタグラムに投稿する前提で食べるものや訪れる場所を選んだりする、ということも既に生じている。

吉川　年間で自撮りのために死ぬ人の数がサメに襲われて死ぬ人を上回ったとかね。

山本　まさに命がけだ。あるいは、先日見かけたニュースによれば、たとえスイッチを切った状態であっても、スマートフォンを見える場所に置いておくと、集中力が減るという実験もあったとか。これなんかは、我々が自覚していない、無意識下での影響だ。

吉川　ところで、面白いことに、フロリディは自分の本を哲学書だと位置づけている。

山本　一見するとメディア社会論のようでもあるね。

吉川　うん、なぜ哲学書かというと――もっとも一口に「哲学」といっても、多様な位置づけがあるわけだけれど――、この本ではＩＣＴをも含む我々の世界の存立条件を統合的に見るからだ、というわけ。

山本　そういえば、宇宙創世以来のビッグヒストリーとまではいわないまでも、歴史を大きく捉える視点も提示している。

吉川　そう、そこも本書の興味深いところだね。社会のあり方をモダンとかポストモダンと分類するんじゃなくて、数千年単位の歴史段階説を唱えている。

山本　プレヒストリー、ヒストリー、ハイパーヒストリー。

吉川　順に説明すれば、プレヒストリーは文字のない時代。ヒストリーは文字のある時代。

山本　現存する史料では、文字の登場は五〇〇〇年前くらいからかな。

吉川　ここでフロリディは、情報の保存と伝達という観点から歴史を捉えている。その意味では、古代文明においてすでに情報社会は始まっている。

山本　コンピュータとネットワークがあるから情報社会というわけではない。文字による記録と交換がなされている以上、既に情報社会というわけだ。

吉川　そして現在はハイパーヒストリーと位置づけられるんだけど、これは情報に人間が依存する状態を指している。

山本　例えば、世界中の各種デジタル・アーカイヴのおかげで古今東西の文献を自室にいながらにして読めるとか、好きなときに映画を選んで観られるという個人の生活に関わることもそうだし、行政サーヴィスを典型とする公共部門にしてもＩＣＴのおかげで随分便利になってもいる。

吉川　もっと身近なところではアマゾンやら楽天やらのウェブサイトで買い物をするのが当たり前になっているよね。

山本　我々は、そういう環境にどっぷり浸かっているから、ついこれを自明視しがちだけれど、実際には過去からさまざまな変化や、それこそ革命が重ねられてきた結果、こうなっている。

吉川　それに、これはフロリディもしっかり指摘しているけれど、現在にしたって世界中がハイパーヒストリーの段階にいるわけじゃない。Ｇ７諸国のようなところではＩＣＴも発展しているけれど、まだそうなっていないプレヒストリー段階、ヒストリー段階の地域もある。

山本　ともあれ、こうした情報圏の進展によって、人間の自己理解が変わってきたと。

吉川　それを「第四の革命」といっているんだね。そこでは、人間は情報の主人というよりは、情報環境を構成する一要素にすぎない。そういう意味で、フロリディは人間を「情報有機体」と呼んでいる。

山本　かつてドゥルーズとガタリが、人間と各種要素との組み合わせを「機械（マシン）」と喩えたのを思い出すね。馬と鞍と人が組み合わさって騎馬という機械になる。人間とＩＣＴと厖大なデータが組み合わさって、巨大な情報機械になる。

吉川　そうそう、そうなると、人間というのは、自由な主体というよりは、ネットワークに依存したエージェントのような存在である。

山本　フロリディは、こうした状況から、ことさら悪夢的なストーリーを引き出すでもなく、さりとて楽天的な未来を描くでもなく、淡々と論じているね。

吉川　情報の哲学から見た現代社会入門という印象だね。

山本　放っておくと自分たちもその中にいるものだから見てとりづらい現状を、あたかも文化人類学者のように、あるいは旅行者のように見えるようにする試みでもある。

吉川　火星の人類学者じゃないけれど。

山本　インサイダーでありながらアウトサイダーであるような視点を持つために役立つ。

吉川　本書が哲学書であるという点を踏まえてさらに付け加えるなら、カント的に我々の思考や行動を成り立たせている条件を捉えようと思ったら、どうしたって環境としてのＩＣＴに注目せざるを得ない、という主張でもある。

山本　いまやＩＣＴは、私たちにとって経験の条件の全てではないにしても、それなしには成立しないような条件の一つになっている。

吉川　生活はもちろんのこと、知覚や思考や感情についても、ＩＣＴによって条件づけられている面があるよね。

山本 これも身近なところでいえば、ＬＩＮＥの既読スルーや未読スルーでいろいろもやもやする人が現れるなんていうのはその一例。ときどき半分冗談として思うんだけどさ、言語って人類には早すぎたんじゃないかって。

吉川 それをいうなら、ほとんどの科学知識や技術も、素晴らしいものだけれど、人類には早すぎるかも。

山本 ほどほどに使ってはいるけれど、使いこなせているかというと、決してそんなことはない。いろんな問題がなくならないものね。例えば、世界の交通事故による死者数は、データの取り方にもよろうけれど、年々増加しているという統計もある。

吉川 テクノロジーもサイエンスもそれ自体だけをとってみれば素晴らしいんだけど、人間がそれに追いついていない。

山本 近年、人間に備わっているさまざまな認知バイアスが確認されてきて、かつての理性的人間像もだいぶ変わってきた。見ようによっては、各種技術の発展によって、かえって人間のダメなところが目につくようになってきたのかもしれないね。

吉川 ＡＩの利点の一つは、そういうあまりに人間的な側面とは無縁にデータを処理できるところ。

山本 学校にしても企業にしても、ゲーム制作の現場をいろいろ見ていると、使える技術や知識は、一〇年、二〇年前と比べて段違いに向上しているのに、結局のところチームメンバー同士の感情のもつれとか、そういう要素のためにうまくいかなかったりするのよね。どこまでいっても最後は人間の問題といおうか。

吉川　そういう人間のダメな面も踏まえたうえで、それでもそこそこうまくいく仕組みや環境をどうやってつくっていけばいいか、というのが目下の課題。

山本　そういうことを考えるとき、本書のように大きな鳥瞰図を示してくれる本は、頭の風通しをよくするのにももってこい。

吉川　話題になったユヴァル・ノア・ハラリの『サピエンス全史』や『ホモ・デウス』（ともに河出書房新社）と並べて読んでもいいね。

山本　というわけで、今回はＡＩと情報圏という技術環境と人間について考える本をご紹介しました。

吉川　原稿もはやくＡＩで生成できるようになってほしい。

山本　この対談、次回からお互いのＡＩでやろうか。

吉川　寝て起きたら原稿ができている！

山本　いいね。ではまた、ご機嫌よう。

註

1 マイケル・サンデル『これからの「正義」の話をしよう——いまを生き延びるための哲学』（鬼澤忍訳、ハヤカワ文庫）

2 レイ・カーツワイル　発明家、未来学者。自著『ポスト・ヒューマン誕生』で、人工知能が人間の知能を超えるシンギュラリティ（技術的特異点）は二〇四五年に訪れると予想。

3 ヴィンジの「来たるべきテクノロジカル・シンギュラリティ」は、次のページでも公開されている。
http://edoras.sdsu.edu/~vinge/misc/singularity.html

4 AIが労働（雇用）を代替するかもしれない将来において、ベーシックインカムの必要性を経済学者の視点から論じる。井上智洋『AI時代の新・ベーシックインカム論』（光文社新書）に詳しい。

15

天文と人文の出会い

ジューリオ・マリ
古代文明に刻まれた宇宙
——天文考古学への招待
上田晴彦訳、青土社、二〇一七年

吉川　さいきん夜空、見上げてる?

山本　なんだい、だしぬけに。まあでも、帰り道に月を見上げたりはするかな。

吉川　月が綺麗で、誰かに話したくなったり。

山本　「月が綺麗ですね」って。

吉川　それそれ。ここ東京では夜空も見えづらいけど。

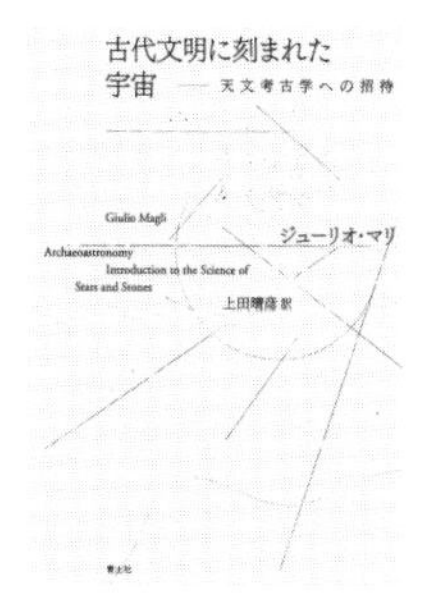

山本　むしろ夜道では手元を見下ろす人が増えているかもしれない。
吉川　たまには星月夜でも眺めながらのんびりしたいものだ。
山本　そんなわけで、今回は夜空を見上げたくなるような本を紹介してみましょうか。一冊めはジューリオ・マリ『古代文明に刻まれた宇宙』です。
吉川　書名だけ見ると、「超古代文明」とか「オーパーツ」とか、『ムー』方面の話を連想しそう。
山本　原題と比べると、邦題は少しロマンティック。
吉川　元の書名はArchaeoastronomy: Introduction to the Science of Stars and Stonesだから、『天文考古学――星と石の科学への招待』くらいかな。
山本　ここで「石」というのは、ストーンヘンジや古代エジプト、マヤ文明のピラミッドなどのいわゆる巨石文化を指している。
吉川　それこそ本書にも書かれているように、先史時代から人類は夜空に興味を持ってきたと言われているよね。方角や季節を知るうえで、星の位置に関する知識が活用されていた形跡があったりして。
山本　旧石器時代の洞窟の奥に、春分点の到来を示す印が見つかっているとか。
吉川　そうそう。この本がテーマとする天文考古学は、天文学の知見を活用して、古代の遺物や人びとの生活の痕跡を読み解くことに取り組む学問。
山本　そして本書は、天文考古学の基礎をしっかり教えてくれる教科書です。全体は三部構成で、最初に天文考古学の方法が解説される。

吉川 まずは基礎の基礎、天体の運動を肉眼で観察するケースから。

山本 データの集め方の説明もある。調査対象となる古代の遺跡とその周辺で各種の計測を行うための道具についても教えてもらえる。

吉川 面白いのは、その遺跡をつくった古代人と同じ夜空を見るために、コンピュータやGPSを使って、地形や位置を確認したうえで、古代の夜空をシミュレーションするところ。

山本 そこが天体のいいところというか、現在の状態と運動を記述する式を使えば、過去をかなり復元できる。「特に天文考古学が注目している期間は、人類史上最も古い祭祀の場であるギョベクリ・テペを考えたとしても一万二〇〇〇年前であり、（宇宙はもちろん太陽系の寿命と比較しても）極めて短いため、その〔天体の〕動きは予測出来る」[1]とか、ここは素直に驚きたい。

吉川 スケールがでかい。この第一部に書かれた方法に続いて、第二部では古代文明における天文学と建造物の関係や、天文学と権力の関係が説かれる。

山本 そもそも巨大な建造物自体が、なんらかの権力と深く関わっているし、天文現象の予測が権力の源になったり、死後の世界を説明する宗教の原理になったりするわけだ。本書でも、天文学と古代文明における権力や宗教の関係についてマヤの遺跡を例に論じている。

吉川　天文考古学が興味深いのは、著者も指摘しているように、自然を記述する精密科学であると同時に、人間のあり方を探る認知科学でもある点だよね。

山本　一方では天体の物理という自然現象の観測と記述がある。他方では古代人が天文観測や宇宙観に基づいてつくった建造物の痕跡がある。天文現象の知見を用いて、失われた古代文明における人びとの生活や文化を推定するというわけだ。

吉川　この連載でも何度か言及している「天文」と「人文」という区別で言えば、天文考古学は見事に、この両者が交差する位置にある。

山本　そうそう。天文という語はもともと宇宙や自然現象を捉えようとして、天の文（あや）を読む自然学のような営みのこと。人文のほうは、人間やその社会・文化を対象としてその文（あや）を読む人文学的な営みのこと。

吉川　天文考古学は、天文を通じて人文を読み解くわけだ。

山本　最後の第三部では、先にもちょっと触れたストーンヘンジや古代エジプト、マヤ文明、その他の事例を使って具体的に検討している。

吉川　いい教科書だよね。学問の方法、発想、事例の三要素を押さえつつ、巻末には演習問題までついている。

山本　それと、著者が冒頭で言ってるんだけど、この本をきちんと読めば、「まじめな天文考古学の研究と、インターネットや書店ですぐに手に入る数多くのエセ考古学者の天文考古学を装ったくだらない話」[2]も区別できる。

吉川　それで面白かったのは、ナスカの地上絵を検討するくだり。これまでにもあの絵は天文学的な意味があるんじゃないかといった説が出されてきたけれど、天文考古学的な見地からは、そうした意味はなかったのではないかと指摘されている。

山本　ある対象について、勝手な意味づけや解釈と、より妥当であると見なせる解釈とを区別する判断基準にもなるのも、科学としての天文考古学の重要な成果だよね。

宇宙はひとつではない

野村泰紀
マルチバース宇宙論入門
——私たちはなぜ〈この宇宙〉にいるのか
星海社新書、二〇一七年

マルチバース
宇宙論入門
私たちはなぜ〈この宇宙〉にいるのか
野村泰紀
112

吉川　もう一冊は、天文つながりということで宇宙論に行ってみようか。

山本　野村泰紀『マルチバース宇宙論入門』という、これまた面白い本が出た。

吉川　先ほどの天文考古学が対象とする先史時代や古代もそうだけど、われわれは昔からいつもなんらかの宇宙観、コスモロジーをもっていた。マルチバース宇宙論はその最新版。

山本　まさに宇宙をどう観るか。それはマルチバースという言葉にも表れているよね。

吉川　そのあたりの確認から話を始めよう。

山本　現在の日本語で「宇宙」とは、英語の universe（ユニバース）に対応する。ユニは「ひとつ」という意味で、「ユニバース」は「全体」とか「ひとつになったもの」という含意があった。

吉川　それに対して、マルチというのは複数という意味。

山本　われわれがいるこの宇宙は唯一の宇宙ではない、じつは多数の宇宙が存在しうると考えるわけだ。

吉川　雲を掴むような話だと感じても無理はない。野村さんが本書でも書いてるけれど、十年ほど前に、ある国際学会でマルチバース理論について発表したら、議長から「哲学についての発表をありがとう」とイヤミを言われたというぐらいだから。

山本　二重に失礼な話だね。マルチバース理論にも哲学にも。

吉川　それが近年、科学者たちのあいだでも受け入れられつつあるらしい。そもそもどうしてマルチバースという見方をする必要があったのか、という経緯を見てみると頷ける。

山本　まず、この宇宙はどういうものか、どうやって現在のようになったのかという謎がある。

吉川　宇宙誕生については、ビッグ・バンという仮説はよく知られているかもしれないね。観測によると宇宙は現在も膨張を続けている。ということは、過去に遡って考えると、

山本　宇宙が膨張を始める出発点があったと考えられる。

宇宙物理学では、一方で「宇宙とはこういう性質をもっているのではないか、それはこう説明できるのではないか」という仮説や理論がつくられて、他方で実際に宇宙がどのような状態にあるかを各種の観測や実験で確かめる。そして両者を比べることで、仮説や理論の妥当性を確認したり、反証によってダメだしをしたりする。

吉川　マルチバース理論の発想も、そうした理論と観測のズレを検討するところから始まった。野村さんの説明をさらに要約すると、真空のエネルギー密度を観測してみると、理論の予測よりはるかに小さい。これはどうしたことか。

山本　そのズレを合理的に説明できる唯一の考え方を提唱したのがスティーヴン・ワインバーグ[3]で、「人間原理」という発想を梃子にして、宇宙が複数ある可能性を示唆した。

吉川　人間原理って、野村さんも繰り返し注意してるけど、とても紛らわしい言葉だよね。気をつけないと、「人間がいるからこそ、この宇宙がある」といった人間中心主義のような発想に見えちゃうかもしれない。

山本　実際はその逆で、ワインバーグは、真空のエネルギー密度がもっと大きい宇宙も存在するはずだけれど、その宇宙には人間はおろか星々も存在しないだろうというのだね。さまざまな構成の宇宙がありえるなかで、真空のエネルギー密度が実際に観測されるような大きさだからこそ、この宇宙には星やわれわれのような生物が存在できるという見立て。

吉川　そうした発想のなかから、宇宙が複数あると想定したほうがうまく説明がつくというマルチバース理論が登場した。だから人間原理といっても、人間の性質とか能力が宇宙の原理に影響を及ぼしているということではまったくない。

山本　ここで大事なことは、野村さんも強調しているように、この仮説自体は伝統的な物理学の枠組みと方法から出てきたものだという点。疑問があるとしたら、いったいどうやって宇宙が複数あると確認できるか。

吉川　検証あるいは反証をどうするかだね。マルチバース理論でなければうまく説明できない事象を見つけることで、理論の確からしさを高めてゆくという間接的な手段をとることになる。

山本　人によっては、ここがもやもやするところかもしれない。とはいえ、さっきの天文考古学のような過去を復元する試みもそうだけれど、間接的な証拠を積み重ねて対象に迫るというやり方自体は、特殊なものではないとも言える。

吉川　そこが難しくもあり、面白いところでもあるよね。自然現象やなんらかの対象について、ある仮説が提示されたとき、それが自分の常識や直感に反していたとする。そのときどう反応するかで、科学に対する態度が分かれるかも。

山本　「まさか、そんなことあるはずがない！」という人は、ひょっとしたら科学向きではないかもしれない。

吉川　うん。「あるはずがない」という直感自体が、自分の「人間的、あまりに人間的」な本性や習慣によるものにすぎないかもしれないわけだし。

山本　この本で紹介されているアインシュタインの事例は興味深い。一般相対性理論の方程式からは、宇宙が膨張することが予想されたんだけど、アインシュタイン自身は宇宙を膨張するものだと見ていなかったので、自身の理論に対して、なんとかして宇宙が定常状態になるような調整をかけようとした。

吉川　でも後に観測で膨張しているという証拠が出て、先生も大いに反省したんだっけ。そういえば、アインシュタインは、ニールス・ボーアたちが量子論を提唱した際にも、量子現象に関する確率論的な描像を批判していたね。神はサイコロを振り給わずといって。

山本　そうそう。アインシュタインほどの人でも、自分の理論を信じ切れずに、直感というか、もう少し強く言えば、自分の世界観から「そんなことはあるはずがない」と考えることがあった。

吉川　われわれ凡人としてはなおのこと。仮説を立てて検証するという手順をすっ飛ばしてズバッと断定したくなる気持ちをこらえるには、それこそ忍耐が必要かもしれない。

山本　そういえば、例のＳＴＡＰ細胞騒動の際の人びとの反応にも現れていたね。「そんなことはありえない」と断定する人たちも少なくなかった。でも、重要なのはそこじゃなくて、いかに検証できるか、検証できないかということに尽きる。

吉川　宇宙論にしても生命論にしても、いまだ人類の誰も理解できていない謎に取り組もうという場合、はじめは「こうであるかもしれない」というさまざまな仮説を出すしかないわけで。

山本　物理学者のファインマンがよく、科学者は詩人とそんなに違わなくて、想像や創造こそが重要なんだよと言っていたのも思い出す。

吉川　うん。

山本　野村さんの本に戻れば、今回はそこまで紹介できなかったけれど、本書の終わりのほうでは、マルチバース論と量子論の多世界解釈を結びつける、さらに驚くべき仮説も論じられている。

吉川　まさにまだ誰も正解を手にしていない問題について、第一線で活躍する現役研究者が、宇宙論の歴史と現在、そして展望を教えてくれる恰好の入門書だね。理論をつくってその確からしさを確認するとはどういうことか、という理論物理学の手法や考え方も知ることができる。

山本　本書で解説されている個別のことについての理解もさることながら、人文学のトレーニングにもうってつけ。例えば、この本を読みながら、さっきの話のように「そんなはずはない！」と感じるかもしれない。そういう感情とは別に、提示されている説明や仮説をどう考えるべきか。言うなれば、感情と思考のあいだで、どう対応するかという点を意識しながら読むといいと思う。

吉川　今回の二冊は、いずれも宇宙を題材にしながらスタイルは対照的だね。『古代文明に刻まれた宇宙』は、天文を用いて人文の課題を解決する本。『マルチバース宇宙論入門』は、天文を突き詰める際に、どこまで人間の枷を外して論理的に考えを詰められるかが問われる本。

山本 そうそう、マルチバース理論については、『日経サイエンス』の二〇一七年九月号でも特集されていて、野村さんが登場しています。

吉川 夜も更けてきたし、夜空でも眺めながら帰ろうか。

山本 やあ、今宵も月が綺麗ですね、とか言いながら。ではまたご機嫌よう。

註

1 ジューリオ・マリ『古代文明に刻まれた宇宙——天文考古学への招待』、上田晴彦訳、青土社、二〇一七年、六八頁。

2 同書、一一頁。

3 スティーヴン・ワインバーグ　米国の物理学者。一九七九年にノーベル物理学賞。

16

山本　ときどき思うんだけどさ。
吉川　聞こうか。
山本　本って、結構デザインで覚えてたりしない？
吉川　あるある。
山本　例えば、『アンチ・オイディプス』（河出書房新社）といったら、あの大きくて大理石みたいなカヴァーが思い浮かぶとか。
吉川　最初に出たやつだね。『ウィトゲンシュタイン全集』（大修館書店）といったら、赤と緑を基調としたあの箱。
山本　『言葉と物』（新潮社）は箱もさることながら、布張りのざらっとした手触りとか。
吉川　加えて紙面のタイポグラフィもデザインだ。
山本　いまはなき思想誌の『エピステーメー』（朝日出版社）なんて、コーナーごとに組み方がちがったりしてね。はじめて見たとき誇張抜きに魂消（たまげ）た。

吉川　懐かしい。『GS』（冬樹社）もすごかったよ。一冊一冊がモノの塊として存在感があった。

山本　最近、こういうモノとしての本についてどう考えたらいいのかなと思うのよ。

吉川　そういえば『文体の科学』（山本、新潮社）でも、物質の面も含めた文体について検討していたね。

山本　それそれ。でもさ、普通は例えば哲学書について論じるとき、装幀とか造本について話すことは滅多になくて内容に話が始終する。

吉川　そうだね。そうはいっても読み取るのは中味でもある。

山本　うん。さりとてデザイン抜きには文字はあり得ない。

吉川　どんな書体を選ぶにしても、必ずある形を備えているし、紙かディスプレイかを問わず物質に象られているわけだ。そもそもわれわれが書店とか書棚で本を出して読むとき、まずはそうしたモノとしての面、本の背表紙なり表紙なりを眺めるし。

山本　そう、読むより前にまずは外側を見ているんだよね。で、加えて言えば、棚から手にとったら、なかを読むより前に手で触れている。

吉川　本文を目にするまで、いろいろな扉をくぐっているようなものだ。それでいけば、ジェラール・ジュネットが『スイユ』（水声社）で提示したみたいに、本は本文となるテクストだけで成立しているわけじゃない。

山本　表紙には著者名と書名があって、帯には惹句が書いてある。表紙をめくるともう一度

吉川　書名が出てきて、エピグラフがあったり謝辞が出ていたり、序文や目次がある。場合によっては改訂するごとに序文がついたりしてね。カントの『純粋理性批判』やマルクスとエンゲルスの『共産党宣言』は序文も重要。

山本　ジュネットの言い方でいえば、そういう「パラテクスト」がテクスト本体を囲んでいて、それらが総合的にテクストを位置づけていたりするんだよね。「これは文芸書ですよ」とか「これはノンフィクションですよ」とか。

吉川　そう考えると、本文に辿り着くまで、結構いろいろなものを目と手にしてるよね。山本くんが言いたいのは、そういうデザインやらパラテクストやらは、テクストを読むことにどう影響しているかということかな。

山本　うん。それともう一つは記憶との関係も気になっている。本を読むとき、デザインや配置を手がかりにすることがあると思うんだよね。そうそう、あの本の最初のほうの右上のあたりに書いてあった、とか。

吉川　書物という紙束のなかの位置やその見た目も記憶の要素ということか。

山本　というのもね、先日、デザイン誌の『アイデア』を読んだのよ。

吉川　鈴木一誌特集ね。あれ、すごい表紙だね。あの写真、鈴木さんの事務所かな。

山本　そうらしいよ。その三七九号は「ブックデザイナー鈴木一誌の仕事」という特集で、郡淳一郎さんと長田年伸さんによる周到に準備されたロングインタヴューが載っているんだけど、九〇ページ近くあって鈴木さんが手がけた本の書影もたくさん出ている。

思考はデザインとともにある

『アイデア』第三七九号「ブックデザイナー鈴木一誌の仕事」
誠文堂新光社、二〇一七年

吉川　鈴木一誌さんといえば、『知恵蔵』が有名だけど、人文的には「叢書ヒストリー・オヴ・アイディアズ」とか『西洋思想大事典』、あと『事典哲学の木』もそうだったね。

山本　蓮實重彥や四方田犬彦の批評書、さっき挙がった『GS』のゴダール・スペシャル号、いまはウェブだけになっているけど雑誌『10＋1』なんかも。

吉川　タイトルを耳にするだけで装幀が目に浮かぶ。

山本　そうなんだよね。この特集ページを読みながら、ひょっとして自分の人文書に関わる記憶の少なくない部分が、鈴木一誌さんやその師匠筋にあたる杉浦康平さん、あるいはさっき触れた『アンチ・オイディプス』をデザインした戸田ツトムさん、『中世思想原典集成』や平凡社ライブラリーを手がけた中垣信夫さんといった、デザイナーの力によってできてるんじゃないかという気がしたわけ。

吉川　逆に、そういうヴィジュアルの手がかりがなかったら、われわれはどうやって本のこ

とを思い出せるか。

山本 例えば、内容を問わず本は全部同じカヴァー、同じ書体で同じレイアウトだったらどうなるか。

吉川 もちろんそれなりに記憶はできるだろうけれど、本同士、見た目で区別がつかないから、デザインはとっかかりになりにくそうだ。

山本 ネットで一度も会ったことがない人たちを文字（ハンドルネーム）だけで識別するような状態と似てるかも。

吉川 いまならアイコンがついてたりするけど、かってはほんとに文字だけだったからね。

山本 他方で中学高校の国語の時間に暗唱した「祇園精舎の鐘の声、諸行無常の響きあり。沙羅双樹の花の色、盛者必衰の理をあらはす」のような文章は、どんな姿形の本で読んだのか忘れちゃったけど、いわばテクストだけが記憶のなかにあったりもする。

吉川 ブラッドベリの『華氏451度』（ハヤカワ文庫）の世界だ。

山本 とはいえ、よほど注意深く暗記しようとしなければ、普通は読んだ本をそんなふうに記憶してない。

吉川 詩ぐらい短いものでも、繰り返し口にしないと記憶できない。

山本 話を『アイデア』に戻すと、インタヴューのなかで、鈴木さんが本のデザインの「フォーマットは人の読書や思考とともにある」とおもしろいことをおっしゃっている。

吉川 それで思い出したけど、同じ計算式をいろんなレイアウトで提示して、被験者の正答率がどうなるかを調べた人がいたね。案の定というか、同じ計算でもレイアウト次第では正答率が下がるという結果が出ていた。

山本　そうなるはずだよね。数学の歴史を辿って古い時代の本を見ると、文中に普通の言葉と同じように式が入っていてとても見づらかったりする。もっといえば、いまなら＋とか×と記号で書くところを普通の言葉で書いていたわけで、明らかに認知の効率がちがうはず。

吉川　式は一目で構造ごと目に入るけど、文章だとしばらく文字を目で追う必要がある。まあ、時間がかかるよね。

山本　そんなふうに考えると、同じ内容でもデザインによって読み手に異なる影響が出ると考えられそう。

吉川　欧文なら、同じ文章でも髭文字で書かれるとえらい読みにくいとかね。

山本　そうそう。和文でも明朝体にするかゴシック体にするかで随分印象が変わる。

吉川　さっきの鈴木さんの言葉をもじっていえば、人の読書や思考はデザインとともにある。

山本　そしておそらくは人の記憶も。鈴木さんは一九九六年に『ページネーション・マニュアル』というDTPを踏まえた組版マニュアルを作って、現在まで改訂を重ね続けているんだけど、これを見るとページという限られた平面に文字を組んで読書のためのインターフェイスを設計することは、建築やプログラミングにも通じる仕事だとわかる。

吉川　いうなれば人文書や思想のためのアーキテクチャだ。

山本　読書と思考の道具である本のデザインという点でも、『アイデア』はとても刺激的だった。
吉川　それと前後して刊行されたエッセイ集『ブックデザイナー鈴木一誌の生活と意見』（誠文堂新光社）と合わせて読むといいかもね。
山本　うん。

デザインからリテラシーへ

中村雄祐
生きるための読み書き——発展途上国のリテラシー問題
みすず書房、二〇〇九年

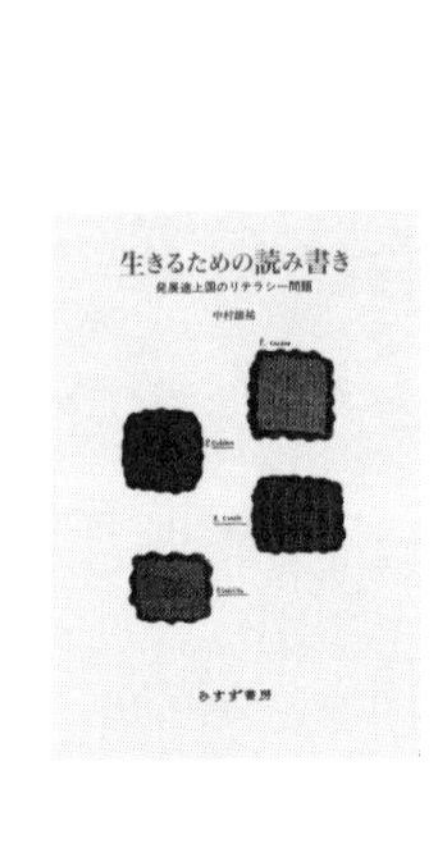

吉川　そういえば先日、ゲンロンカフェで生物統計学者・進化生物学者の三中信宏さんとお話ししたよね。
山本　あれは楽しかった。三中さんの新刊『思考の体系学——分類と系統から見たダイアグラム論』（春秋社、二〇一七年）をめぐっての鼎談でした。
吉川　三中さんの本もまさに、われわれの思考がデザインとともにあることを教えてくれるものだった。

山本 われわれの思考において、ダイアグラム（図形言語）がいかに大きな役割を演じているか。

吉川 そうそう。われわれ人間が世界を秩序づけて理解するやり方には、大きく分けてふたつのやり方があって。

山本 分類と系統だね。

吉川 うん。人間は多様な事物の集まりを目にしたとき、無意識のうちにそこになんらかのパターンを読み込もうとする。

山本 おそらくそれは人間が進化的な時間スケールのなかで身につけてきた能力だよね。

吉川 人類が生き延びていくために必要な能力だった。それができなければ毒キノコと食べられるキノコの区別もつかないし。

山本 それだけ長い時間をかけて身に染みついた能力だから、必要のないところにまでパターンを見出してしまうこともある。

吉川 切り株の模様が犬の顔に見えちゃったり。

山本 そうした人間によるパターン認識の二大巨頭が、分類思考と系統樹思考というわけだ。

吉川 分類思考のほうは、昔から「存在の大いなる連鎖」[2]の絵画とか、現代でもプレゼン資料のベン図など、いたるところで見ることができるね。

山本 系統樹思考についても、「生命の樹」や家系図のダイアグラムなど、いたるところで見られる。

吉川　分類であれ系統であれ、文章で表すこともできないわけではないんだけど、ダイアグラムを用いたほうがずっとよく理解できるよね。

山本　ほら、聖書の最初のほうで、アダムから始まる系譜が延々と語られるじゃない。文章だけだとえらい理解しにくい。

吉川　家系図にしたくなる。

山本　うん。実際、家系図のようなダイアグラムで表現したほうが、情報がより迅速かつ的確に伝わるというケースは多い。

吉川　グラフィカルな表現は世界を直感的に理解する手助けになる。

山本　手助けどころか、人の思考はダイアグラムとともにある。

吉川　その三中本を読んでいて、非常におもしろい本に出会いました。

山本　中村雄祐さんの本だね。

吉川　うん。著者の中村さんは、発展途上国の先住民諸言語話者を対象とする職業訓練や社会開発についての専門家で、いまは東京大学の先生。

山本　タイトルだけを見て、われわれの生活とはあんまり関係ないように思う人もいるかもしれないけど、じつはさにあらず。

吉川　そうそう。途上国の人だろうと先進国の人だろうと、少なくとも読み書きにかんしては同じことをしているわけで。

山本　この本は、読み書きにかんする理論と、彼がボリビアの職業訓練プログラムにかかわった経験との両面から、つまり理論と実践の双方向から人間のリテラシーを考察している。

吉川　中村さんたちは、ボリビアで活動する小さなＮＧＯが運営する編み物教室に参与しつつ調査を行った。

山本　ボリビアは中米に位置する国で、彼らが活動したスクレ市郊外は貧困が非常に大きな問題になっている。

吉川　途上国の貧しい人びとへの教育支援といえば専門的技能の習得や読み書き能力の向上というイメージがあるかもしれないけれど、それだけでは足りない。

山本　たとえ編み物ができるようになり、公用語での読み書きができるようになったとしても、それを実際に生計の維持や向上に役立てるためには、各種のマニュアルとか在庫管理表、請求書や領収書といった「文書」「書類」の取り扱いができなくてはならない。

吉川　市場における商取引の作法とか慣行といったものも身につける必要があるわけだ。そうでないと商取引がうまくいかないし、もし取引できたとしても非常に不利な条件の下に置かれたままになってしまうかもしれない。

山本　しかも、そういった文書の取り扱いは、読み書きができるようになったからといって、自動的にできるようになるというものでもない。

吉川　日ごろから企画書とかプレゼン資料、領収書、年末調整書類といった大量の文書に囲まれて生活していると実感しにくいことではあるけれど。

山本 そこで中村さんたちは、読み書きにかんする教育を広く「文書管理エクササイズ」と位置づけて、文書を用いたロールプレイなどの試みを行っている。

吉川 まさに「生きるための読み書き」だ。

山本 今日の話に関連して興味深い点は、この本がリテラシーという概念を文字のテクストだけでなく、ダイアグラムなどの図像表現、書類や文書のフォーマット、つまりパラテクストまで含めて考えようとしているところだね。

吉川 冒頭で話した書物の装幀やタイポグラフィもパラテクストだけど、在庫表や領収書といった文書のフォーマットもまたパラテクストの一種だ。

山本 うん。それに、一口にテクストといっても、それは言葉の文字だけではない。

吉川 リテラシーといえば一般には言葉の読み書きのことを指すけれど、われわれの生活では数字や数式の読み書きも必要になる。

山本 こっちのほうはニューメラシーとも呼ばれる。

吉川 で、中村さんは、文字のリテラシーと数字・数式のニューメラシーのあいだにはギャップがあると言う。

山本 たしかに文字の習得も決して簡単ではないけれど、数字・数式の習得はそれよりさらにずっとハードルが高いかもしれない。

吉川 実際、「数字嫌い」「数学嫌い」だという人は多いよね。他方で、「文字嫌い」という言葉が使われることはほとんどない。「本嫌い」ならいるだろうけれど。

山本　この本では、図像やダイアグラムなどを用いたヴィジュアル・リテラシーにこそ、リテラシーとニューメラシーのギャップを埋める役割が期待されている。

吉川　そのとおりだよね。例えば複雑な統計情報なんて、ダイアグラムの助けでも借りないとうまく理解できない。

山本　いま流行りのインフォグラフィクスなんか、まさにそういうダイアグラムの代表例だ。

吉川　それに、子どもの教育だけでなく、大人にとってもヴィジュアル・リテラシーは重要だよね。お客さんや上司に向けてプレゼン資料を作る場合なんかにも、必要になってくる。

山本　わかりやすいダイアグラムを作成できれば、こちらが提供したい知識やメッセージが素早く的確に相手に伝わることになる。

吉川　ものによるとは思うんだけど、少なくとも数字の出てくるような資料では、ダイアグラムを活用したほうが断然わかりやすい。

山本　大金がかかったプロジェクトの企画書なんかだと、ヴィジュアル・リテラシーの有無は死活問題になってくる。

吉川　まあ、それを逆手にとって、都合の悪い情報を隠すために相手をだますようなダイアグラムもあるけどね。グラフの比率がおかしかったり……。

山本　あるある。簡単にだまされないためにという意味でもヴィジュアル・リテラシーは大事だ。

吉川 そういうわけで、今回はテクストだけでなく、デザインやパラテクストにも注意を払ってみようというお話でした。

山本 本を一冊読むにしても、そんなふうに多角的・大局的な視点に立つことで、作品をよりよく理解できるようになるだけでなく、もっと楽しめるようになる。

吉川 うん。内容だけではなく、「かたち」にも目を向けていこう。今日はこんなところかな。

山本 ご機嫌よう。

註

1 鈴木一誌と『知恵蔵』 フォーマットデザインの権利は誰に帰属するのか。『知恵蔵』の創刊4号のデザインを手がけた鈴木一誌が、一方的なデザイン変更の通達を受け、版元の朝日新聞社を相手に裁判を起こす。経緯は『知恵蔵裁判全記録』(知恵蔵裁判を読む会編、太田出版)に詳しい。

2 「存在の大いなる連鎖」とは、古代ギリシアのプラトンに端を発する世界観。世界に存在する万物は神がつくったものであり、その最高位の神から最低位の被造物まで、連続する鎖のように連なっているという見方のこと。アーサー・O・ラヴジョイ『存在の大いなる連鎖』(内藤健二訳、ちくま学芸文庫、筑摩書房、二〇一三)を参照。(山)

17

山本　二〇一八年は年始めから、この連載にちなんだイヴェントをやりました。

吉川　一月五日に斎藤哲也さんとわれわれとで「『人文的、あまりに人文的』な、２０１７年人文書めった斬り！」と題してゲンロンカフェで話したところ。

山本　当日は三人がそれぞれ二〇一七年に目にした人文書から印象に残ったものをリストにして持ち寄ってね。[1]

吉川　前回の「２０１６年人文書めった斬り！」でもリストをつくった。

山本　うん。前回は斎藤さん九三冊、吉川くん一〇五冊、私が空気を読まずに二七七冊を挙げた。でね、今回は反省して一〇〇冊ぐらいにしとこうと思ったのよ。そしたら……。

吉川　斎藤さん一七五冊、山本くん二五五冊、吉川二六二冊！　まさかの増量。

山本　私は一応去年より減らしたんだけど、お二人が大幅増量で驚いたよ。

吉川　言い訳するわけじゃないけど、実際二〇一七年の人文書は豊作だったよね。

山本　そう、必読必携と言いたくなる本が目白押しだった。それだけにリストからベスト二〇を選ぶのも一苦労。

吉川　この連載でも二冊ずつ取り上げてるけど、どれにするかは毎度悩むよね。

共感を増幅する贈与

松村圭一郎
うしろめたさの人類学
ミシマ社、二〇一七年

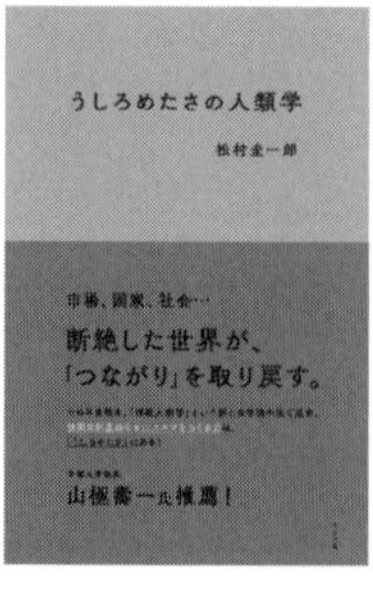

山本　そんななか、今回は改めて「人間」に目を向けてみようということで、二冊を選んでみました。いずれも二〇一七年に刊行された本です。

吉川　一冊目は、松村圭一郎さんの『うしろめたさの人類学』（ミシマ社）。

山本　著者の松村さんは文化人類学者で、エチオピアを中心にフィールドワークをしている人。本書もその経験とそこから生じた疑問や考察を基礎として書かれている。

吉川　文化人類学では、調査対象の文化を調べるだけでなく、調査する人が育った文化との比較も行われる。というよりも、両者を比べることによって相手のことが分かるし、それと同時に自分のことも分かる。

山本　いろんなことに言えるよね。言語でも芸術作品でも食文化でもなんでもそうだけれど、彼我を比べてみると互いの共通部分と違う部分とがよく見えるようになるわけだ。

吉川　この本で特に印象深いのも、やはりエチオピアと日本の暮らしぶりや人間関係の違いを記した箇所。

山本　その違いを明確に伝えるため、松村さんは「交換」と「贈与」の違いに目を向ける。交換の典型は、お金で商品を買う場面。贈与は誰かにプレゼントするような場合を思い浮かべればいい。

吉川　交換と贈与の大きな違いは感情の要素。商品とお金の交換では感情が関わらなくてよいわけだ。

山本　例えば、コンビニで商品をレジに持っていき、言われたお金を払えばそれでおしまい。店員が誰か、買う私が誰か、なぜそれを買うのかなんてことをいちいち気にしない、ということになっている。

吉川　実際には「またこの人ペヤング買ってるよ」と思われてたらやだなとか考えたりはするけどね。

山本　どんだけ買ってるのさ。

吉川　でもまあ、基本的にはお金を払うことで、言ってしまえば後腐れもなく、相手との人間関係をそのつど考えたりせずに用を足せるわけだ。

山本　人間関係を考慮しないで必要を満たすための交換という機能に特化するという感じ

吉川　だね。他方で「贈与」の場合はそうはいかない。

山本　むしろ誰かとの関係を結ぶために贈り物をする。

例えば、親や恋人にプレゼントするような場合、そこには単にものをあげるということに加えて、なんらかの感情が関わっている。感謝の気持ちとか、好意とか。

吉川　分かりやすく整理すれば、交換は感情を抜きに人間関係を切断する方向、贈与は感情を加えて人間関係を接続する方向だ。

山本　松村さんは、エチオピアでの暮らしと調査を通じて、贈与が濃厚な人びとのつながりを見てとっている。日本に帰ってくると、経済、交換がいたるところで前面化していると感じたとも記しているね。

吉川　ここで指摘されていることは、従来の理性優先の人間像から、近年の感情や情動を持つ人間像への転回にもつながってる。

山本　書名に冠された「うしろめたさ」はまさにその象徴例だ。物乞いに遭遇したとき、彼我の格差、貧しい持たざる人を前にして感じるうしろめたさをどうするか。

吉川　交換の論理に染まりきっていると、「なんでオレが稼いだ金をただでやらにゃならんのか」とさえ感じるかもしれない。その場合、うしろめたさを理屈で覆い隠しているとも言える。

山本　エチオピアで著者が見たところでは、自分もたいして裕福ではないはずなのに物乞いにお金をあげる人が多いというんだよね。それは彼らが物乞いを前にして抱く感情に従ってのことだとも指摘している。

吉川 もうひとつ本書の重要な指摘は、われわれの感情は個人のなかに生じる自分だけのものというよりは、他の人やモノの配置や関係のなかでこそ生じるし、それを通じて互いに見えるようになるという見立て。

山本 それはさっきの物乞いを前にしてうしろめたさを抱くという例からも実感できることだよね。

吉川 そう考えた場合、他の人との言葉やモノのやりとりの仕方を変えれば、生じる感情も変わるはず。著者はここに、世界のあちこちで生じている断絶につながりを回復する鍵があると見ている。

山本 一見すると小さなことのようだけれど、そこにこそ世界のあり方を捉え返し、つくり変えてゆく手がかりがあるというのが本書の主張だね。本書の発想が「構築人類学」と称されているのもそのためだ。構築されたあり方を知れば、別の仕方で構築もできるチャンスが見えてくる。

吉川 ここまで紹介してきた話を念頭に目次を見るとちょっと驚くかもしれない。章題は「経済」「感情」「関係」「国家」「市場」「援助」「公平」と、けっこう抽象的だったりする。

山本 ただ、国家にしても市場にしても、その基礎にあるのは人と人のやりとり、人とモノの配置。それを変えれば、より公平な場をつくることもできる。そういう希望が示されている。

吉川　この本全体は、著者のフィールドワークの体験談をたっぷり交えながら、地に足のついた身の丈の議論が平明かつ興味を持って読めるように書かれている。

山本　なにより読み物として楽しめるよね。

吉川　うん。声高に「こんな世の中だから革命しよう」と叫んだりしていない。でも、社会や市場や国家のように、ちょっとやそっとでは変わらなさそうに感じられるものを、よりよく変えてゆくための手立てを読者に手渡してくれる。勇気づけてくれる本でもあるんだよね。

山本　「贈与は人のあいだの共感を増幅し、交換はそれを抑圧する」（同書、四〇ページ）、その鍵となるのは感情である、というポイントを念頭に置いて次に行こうか。

人文学の情動論的転回

信原幸弘

情動の哲学入門——価値・道徳・生きる意味

勁草書房、二〇一七年

吉川 もう一冊は、信原幸弘さんの『情動の哲学入門』です。

山本 信原さんは長年にわたって心の哲学にとりくんできた大ヴェテラン。

吉川 『心の現代哲学』（勁草書房）をはじめ、『考える脳・考えない脳――心と知識の哲学』（講談社現代新書）、『意識の哲学――クオリア序説』（岩波書店）といった本は、われわれも出るつど読んできました。

山本 それから「シリーズ心の哲学」「シリーズ新・心の哲学」（勁草書房）のような心の哲学について考える際にはいずれも必読の論集の編著や、最近でもポール・チャーチランドの『物質と意識――脳科学・人工知能と心の哲学』（西堤優との共訳、森北出版）といった関連文献の翻訳も精力的にこなしておいでです。

吉川 ちょっと感慨深いのは、従来、心の哲学といえば、知覚とか信念とか意思といった、どちらかといえば認知や思考に近いテーマが中心だったのが、ここにきて情動や感情にも注意が向いてきたところ。

山本 それこそ従来のヨーロッパの哲学でも、感情はどちらかというと理性の働きを邪魔するノイズのような扱いを受けたりしていたよね。そうした見方の影響かどうかは分からないけれど、感情研究の専門書や論文を見てみても、まだまだこれからというか、捉え難い対象である様子が分かる。

吉川 それが脳科学や認知科学、心理学あるいは最近の経済学なんかも含めて、感情や情動を前提とした人間像の捉えなおしが起きている。

山本　人文学や文化研究、社会科学の領域では「情動論的転回」なんて言われているね。

吉川　その哲学版と言ったらなんだけど、この本は従来の心の哲学を、情動という観点から再考してゆくという趣もある。

山本　本全体は大きく「価値と情動」、「道徳と情動」、「生きる意味と情動」という三つの部に分かれている。その根底にあるのは、情動こそが人間の意思決定や価値判断にとって基礎となるものという見方だ。

吉川　従来であれば、よりよい理性の働きこそが重要と考えられていたところだ。

山本　そうそう。でも、この本で信原さんも参照しているけれど、もし情動抜きに理性だけで生きる人がいたらどうなるか。

吉川　有名なアントニオ・ダマシオの研究[2]だね。脳のある部位を損傷した結果、知的能力には問題がないものの、情動の働きが鈍くなった患者がいた。

山本　理性こそが重要と考える立場からしてみれば、理想的とも言えそう。

吉川　ところが、実際のところこの人は、簡単なことでも意思決定ができなかったり、道徳的な振る舞いをとれなくなったりするらしい。

山本　「ムシャクシャしてやった。今は反省してる」じゃないけど、怒りや苛立ちで人を害するのを典型として、情動は悪い面が目立ったりもする。だから、冷静に合理的に物事を判断するうえでは情動は邪魔になると思われがちなんだけど、実はそうではない、というわけ。

吉川　むしろ情動によってこそ適切な判断ができる。情動の役割がようやく分かってきたということだね。ただし、情動による行動はときに誤りを犯すこともある。そこで理性によるブレーキや制御が必要になる。

山本　認知心理学でいう心の二重過程モデルとも重なる議論だ。

吉川　その点については、連載第一回で取り上げたキース・E・スタノヴィッチの『心は遺伝子の論理で決まるのか――二重過程モデルでみるヒトの合理性』（みすず書房）や最近翻訳が出た『現代世界における意思決定と合理性』（太田出版）を読むといいね。

山本　信原さんは、冒頭で面白い疑問を提示している。例えば、私たちは花を見たとき、その色や形や香りを感覚器官で捉える。これを彼は「事実的性質」と呼んでいる。そして「ああ、きれいだな」と感じたりするわけだけど、その「きれいだな」と感じられるものを「価値的性質」と区別する。そして、一見すると価値的性質には固有の感覚器官が見当たらないという。

吉川　つまり、知覚には対応する感覚器官があるけれど、情動の場合はどうなのかという疑問だ。面白い。

山本　そして、そこは心の哲学者らしく、いくつかの考えられる仮説や主張を丁寧に検討にかけながら、より妥当と思われる見方を捉えるプロセスを見せてくれている。

吉川　こういう議論は結論だけ受け取ろうとすると、かえって拍子抜けするかもしれない。ただ、それはひとえに思考や検討の過程を自分で吟味しないからなんだよね。

山本　さっきの「価値的性質には固有の器官があるか?」という問いにしても、信原さんの見立ては言ってしまえば「それは身体である」ということだ。

吉川　そう、そこで「なんだ、そんなことか」と思えば得るものはない。でも、なぜそう言えるのかを突き詰めるのはけっして簡単なことじゃない。

山本　本書の議論を追ってみても痛感されるところだ。

吉川　身体が情動の器官であるという見方は、それこそ別の本のタイトルを借りて言えば『はらわたが煮えくりかえる』（ジェシー・プリンツ、勁草書房）[3]という話。

山本　じつに言い得て妙。内臓がぐわっと熱くなるような身体感覚とともに怒りという情動が生じる。そういえば、その本の副題もまさに「情動の身体知覚説」だった。

吉川　さらに言えば、情動があればこそ人は価値判断もできるというのが、『情動の哲学入門』第一部で提示される重要な結論のひとつだ。

山本　第二部の「道徳と情動」の関係についても、やはり興味深い問いの提示から始まっている。

吉川　問題がモンダイなのだ。

山本　ほんとそれ。これまた哲学の醍醐味です。一人を犠牲にすれば残りの人が助かる。そうしなかったら全員助からない。どっちを選んでも悲惨なことには変わりがない、そういう「悲劇的ディレンマ」の状況に対して、どんな情動を抱くのが適切なのか、という問いだね。

吉川　一時期流行った「トロッコ問題」なんかにも通じる道徳的ディレンマだ。多くの場合、どちらを選んでも悲劇は起こるけど、犠牲が小さいほうを選ぶのが果たしてよいことなのかどうか、という具合に意思決定の是非に焦点が当てられるところ。信原さんはその選択に対する情動について考えている。

山本　そういう場合、後悔するのが適切な情動なのか、罪悪感はどうかと吟味する。

吉川　これはちょっと奇妙な議論にも見えるかもしれないけど、例えば、ホロコーストや従軍慰安婦問題のような歴史認識をめぐる行き違いや感情のすれ違いを考えるうえでも重要な視点のはず。

山本　あるいは「うしろめたさ」という感情にどう向き合うべきかという松村さんの問題提起とも通底する発想だ。さらには文学や映画などに描かれる人間の行動や情動を分析するような場面でもおおいに示唆を得られそう。

吉川　いずれにしても、人間の営みにおいて情動が関わらないことがないのだとすれば、本書を読まずにおく手はないね。

山本　蛇足ながら、情動は目下流行中の人工知能にとって大きな死角となっていることのひとつでもある。ＡＩとはなにか、ＡＩにはなにができてなにができないのかといったことを考えるヒントにもなる。

吉川　というわけで、今回は人間の感情や情動と呼ばれる要素に注目した二冊をご紹介してみました。今回はこのへんでお開きとしましょう。

山本　ご機嫌よう。

註

1　「斎藤哲也×山本貴光×吉川浩満『人文的、あまりに人文的』な、2017年人文書めった斬り！」二〇一八年一月五日、於・ゲンロンカフェ。https://genron-cafe.jp/event/20180105/
以降も同メンバーで毎年開催。2018＝二〇一八年一二月二八日。2019＝二〇一九年一二月一六日。2020＝上半期編（二〇二〇年八月二六日）と年末編（二〇二〇年一二月二三日）の二回。於・ゲンロンカフェ。

2　米国の神経科学者、アントニオ・ダマシオが提唱するソマティック・マーカー仮説のこと。

3　『はらわたが煮えくりかえる――情動の身体知覚説』（ジェシー・プリンツ著、源河亨訳）喜怒哀楽のような感情を認知科学、脳神経科学、生物学、文化人類学などの見地から、身体反応の知覚として論じる。

18

AIの危機、人間の危機

新井紀子
AI vs. 教科書が読めない子どもたち
東洋経済新報社、二〇一八年

山本　数学者の新井紀子さんの『ＡＩ vs. 教科書が読めない子どもたち』（東洋経済新報社）が出たね。

吉川　非常に話題になっています。

山本　しばらく前に調査研究の内容については報じられていたけど、こうしてデータを交えてまとめて読むと改めて衝撃的。

吉川　一見センセーショナルな煽り文句のような書名も内容を的確に表している。

山本　これは一言でいえばＡＩの憑き物落としの本ですね。

吉川　うん。

山本　シンギュラリティ論議が典型ですが、ほとんど妄想で盛り上がっているような話にも水をかけている。計算機であるコンピュータにはできることとできないことがあるでしょう、というまっとうな指摘ですね。

吉川　この本で面白いと思ったのは、いま山本くんが言ったＡＩの憑き物落としという側面が一つ。それともう一つは、そこから「人間がヤバいぞ」という様子が逆照射されてくるところだよね。

山本　人間、ピンチ。

吉川　ただし、巷でよく言われる、ＡＩによって仕事がなくなるとかいうのとは一段違うピンチ。

山本　より根底的な危機。本の概要を整理しながら話そうか。著者の新井先生は数学者で、「ロボットは東大に入れるか」という国立情報学研究所が二〇一一年から二〇一六年にかけて実施したプロジェクトのリーダーも務めておいでだった。

吉川　東ロボくん。人工知能に学習させて、東大入試に合格できるようになるか、というプロジェクト。

山本　そう。最終的には東大は断念するんだけど、東ロボくんは偏差値五八近くまで成績を上げた。これは大学でいうと関東ではＭＡＲＣＨと呼ばれる、明治、青山学院、立教、中央、法政大学相当。興味深いのは、これ以上は無理であると判断されたところ。というのも、ＡＩは文章の意味を適切に捉えるのが苦手で、読解力を要する問題を解けない。

吉川　原理的には以前の第二次人工知能ブームのときにもさまざまに検討・指摘されていた点だよね。ＡＩには、言葉の意味をどう理解するかという難問がある。これについては川添愛さんの『働きたくないイタチと言葉がわかるロボット』（朝日出版社）が的確かつ面白く描いていたね。

山本　今回も実際にその壁につきあたった。深層学習（ディープラーニング）などの手法で乗り越えられるんじゃないかという期待もあったようだけど。そこから新井先生は、じゃあ人間の子供たちの読解力はどうかという調査に取り組んだ。

吉川　そして衝撃の事実が。

山本　実は中高生たちの多くも、中学の教科書を適切に読み解ける能力を持っていないことが判明した。

吉川　ＡＩによってなくならない仕事をすればいいという見方にとって、本当ならＡＩが苦手な読解や意味をとることこそ、人間にとってチャンスだと思ったら……。

山本　人間のほうも読解が苦手だった。というのでだいぶシャレになっていない。

吉川　「ＡＩはすごい」という本はたくさんあるし、「人間はＡＩに職が奪われるぞ」という本もたくさんあるんだけど、東ロボくんという一つのプロジェクトからＡＩ側の課題

山本　と人間側の課題を両方照らしてみせるのがこの本のユニークなところ。それだけに本書では、読解力を身につける重要性が指摘されるわけだ。しかしそこには難問がある。どうしたら読解力が身につくのかをアンケートで調べようとしたところ、本を読む頻度と読解力の高さのような、期待される相関関係は見当たらなかったというのだよね。今のところどうすればよいかは分からないという結論。

吉川　非常に由々しき事態だね。問題があるのは分かっているけれど、どうやって解決すればいいか、分からない。

山本　そう。しかも基本的な文章読解力は、マニュアルを読むにしても新聞やニュースを読むにしても、生活や仕事のなかで必要不可欠。

吉川　第16回でとりあげた中村雄祐『生きるための読み書き』（みすず書房）という本は主に発展途上国での文字と図像のリテラシーの話だったけれど、そんな遠い国の話じゃなくて、われわれの社会のど真ん中にその問題があるということ。

山本　しかもこれは子供だけの話だと思ってはいけない。大人はどうなのか、それも相当怪しい。

吉川　そのへんの証拠はツイッターとかアマゾンレビューを一瞥すれば山ほどサンプルがある。

山本　文章をまともに読めていないばかりに、どれだけ無用な喧嘩が生じているか。

吉川　しかしどうしたらいいんだろうね。

山本　ＡＩにうまくできないことがヒントになるんじゃないかな。ＡＩは、言語化されていない知識を活用できない。この本の言葉で言えば文章に書かれない「常識」を必要とする問題が解けない。

吉川　われわれの知識や経験は、すべてが言語化されているわけじゃないからね。例えば文章に「一二月のことであった」と書いてあって、それ以上なにも書いてなかったとしても、「日本で一二月といえば寒いね」とか「雪が降るね」とか「年末だね」といったことが分かる。

山本　人間なら、そんなふうに文面には明示されていないことも、過去の経験に基づく知識や記憶を使って理解できるんだけど、ＡＩはそれができない。読解力を鍛えるというと、文章を読むほうに目が向きがちだけれど、実際には読んだことと世界やその経験をどうやって結びつけるかがたいそう重要なんじゃないかという気がするな。

吉川　人間におけるシンボル・グラウンディング問題みたいだ。

山本　まさに。抽象化された記号（シンボル）と現実世界をどう接地（グラウンディング）させられるか。

吉川　こうなると、新井さんのアプローチであるＡＩにはなにができないのかというところから、人間が読解できるときにはなにができているのか、できないときにはどうなっているのかを照らし出して、そこから課題を見つけてくるというやり方が必要だね。

山本　うん。この本に書かれていることは、ＡＩにとっては残念なお知らせだし、人間にとってても残念なお知らせだけど、しかしこの残念なお知らせが次の手を考える貴重なヒントになっているわけだ。

吉川 マルクスが『資本論草稿』で「人間の解剖はサルの解剖のためのひとつの鍵である」って言ったのを思い出すね。東ロボくんがＭＡＲＣＨに合格できる水準に到達した時点で、ＡＩは人並み以上になったのに、われわれの多くはむしろサルに近いということが分かった。われわれサルとしては、ＡＩの解剖をわれわれに役立てる形で読解力の向上を目指していかなければならない、そういう道筋がはからずも浮かび上がったと。

山本 それを屈辱と思うかなんと思うかは人によるけど。

収容所でなにを話す？

ジョゼフ・チャプスキ
収容所のプルースト
岩津航訳、共和国、二〇一八年

吉川 次はジョゼフ・チャプスキの『収容所のプルースト』（岩津航訳、共和国）です。これも

山本　またすごい本ですね。

吉川　いい意味でとんでもない本。一九三九年、ポーランドはナチスドイツとソ連の侵攻を受け、ポーランド兵だったチャプスキは、ソ連の捕虜になって収容所に囚われる。収容所のポーランド兵たちは、精神の健康を保つためにお互いの知識を教えあおうといって講義をした。そこでチャプスキはプルーストの『失われた時を求めて』をテーマにした。それを聴講した人のノートが残って、後年本として刊行されてわれわれの手元に届いたという、いろいろな奇跡の積み重ねでできているような本ですね。

山本　収容所文学というのは、そういう形で僥倖によって投壜通信でわれわれの手元に届くことが多い。このチャプスキという人は、いわゆる文学研究者じゃなくて画家なんだよね。

吉川　ポーランドの貴族の出でもある。加えて驚くべきことに、チャプスキは講義をするにあたって、テクストの使用を認められていなかったので、すべて記憶でやっているという。

山本　後の研究者によると、また訳者も言っているけれど、引用が正確なので、どの箇所かがすぐに分かるという話だった。

でも、人はどうするとそんなふうに読んだ小説のことを覚えられるものだろう。それこそ本書を読んだら誰もが思い出すかもしれないレイ・ブラッドベリの『華氏451度』（ハヤカワ文庫ＳＦ）の世界のように、意識して本を丸ごと覚えようということでもやっていれば別だけれど、よもやチャプスキさんにしても、こんなことになろうとは思っていない状態でプルーストを読んでいただろうに。

吉川 しかも、いくら貴族で語学に堪能とはいえ、彼にとっては外国語だからね。

山本 それがこんなふうに記憶されているということが驚異的。

吉川 ただ覚えているだけじゃなくて、それについてしっかりした講義ができる。こういうとき、「頭がよかったんでしょう」ではちょっと説明にならない。

山本 (笑)。

吉川 もちろんそれもあったんだろうけど。

山本 私が連想したのは、吉川くんのことなんだよね。吉川くんが、よく本で読んだことや体験したことをとても面白くアネクドート風に語るじゃない？　あれってこのチャプスキさんの講義にちょっと似ていると思うのよ。

吉川 だいぶレベルが違うけどね！

山本 ああいうエピソードの記憶は、別に意識して覚えようと思っているわけじゃないでしょう？

吉川 そうだね。

山本 なんで覚えられるのかな。

吉川 おそらくチャプスキさんもそうだと思うんだけど、自分自身がすごく面白がってるんだよね。だから誰かと共有したい気持ちにもなる。面白がっていれば脳髄に刻まれるということはあるかな。

山本　それは記憶について言われることからしても合点がいく話だね。楽しいのもそうだし、驚きが伴うと一回しか経験していなくても覚えてしまうということがある。そう考えると、情動や情緒を伴う読書によって記憶されると言えるかもしれない。

吉川　暗記だと難しいよね。それこそさっきの東ロボくんの話じゃないけど、ＡＩにしてみれば、書かれたものを複製したり記録したりするのは簡単。他方でわれわれの場合、これまで生きてきた履歴とか社会常識とかにアクセスしながら作品を楽しむわけだから、そういう意味ではとっかかりは多い。

山本　そうだね。それからチャプスキさんによるプルーストの読み解き方で印象に残った点が二つあった。プルーストは小説にたくさんの人物を登場させているけれど、いずれかに肩入れするというよりは、いろいろな精神のあり方を見てとろうとしているという指摘が一つ。もう一つは、貴族ならではというか、『失われた時を求めて』に描かれた社交界の機微に注目しているところ。

吉川　それはあるよね。われわれがトルストイの『アンナ・カレーニナ』を読んですごいと思うのもそこで、貴族社会や社交界には反感を持つ人もいるでしょうけれど、研ぎ澄まされた人間の社会的側面が精緻に描かれる。

山本　社交のための社交技術といおうか。

吉川　そういうものを嫌っている下々のわれわれの間にさえある。「あいつ、目があったのに

山本　挨拶してこない」とか、「あの店員、おつりを投げてよこした」とか。流儀が違うだけで、他人とどう交わるかという見方をすれば大差ないともいえる。

吉川　そう、同じ。

山本　一種の文化人類学的な報告として楽しめる。

吉川　まさに、文化人類学だね。あるいはさっきのマルクスの言葉をもう一度思い出してもいいかもしれない。

山本　その場合、誰がサルで人間なのか。

吉川　もし不幸にも収容所に入れられて、チャプスキと同じ立場になって、なにか講義しようってなったらなにをしますか？

山本　これまた難しい問題だ。でも、幸か不幸か学校で先生をやっている人間は、こういうときレパートリーがある。私ならなんだろう、ゲームの歴史とか、プログラミングとかかな。

吉川　そうか、授業で何度もやってるわけだ。

山本　そう。昔、誰かがあるテーマについて淀みなく話すのを見て、どうしたらあんなことができるんだろうって疑問に思っていたことがあった。自分でも先生になってみて分かったのは、同じ話を繰り返してるからなんだよね。落語じゃないけど、同じ話を繰り返すうちに、ウケるところが特化したりつまらないところが削れたりして洗練されたりもする。吉川くんならどうする？

吉川　私の場合、恥ずかしながら講義できるようなものは思いつかないな。テオプラストスという、アリストテレスの友人だった人に、『人さまざま』という面白い本があるでしょ。ああいうものをお手本にして、これまで出会った面白おかしい人の列伝を話そうかな。なんの役にも立たないけど、役に立たないという意味では収容所ではすべてが等価だし。

山本　いいね。収容所でその講義を聴いたら、テオプラストスを読みたくなって困りそう。同じことはチャプスキさんの講義でもあっただろうね。

吉川　講義を聴いて、プルーストを読みたくなるけど、収容所だからどうにもならない。

山本　この本を読むと必ずプルーストを読みたくなるから、みなさんには『失われた時を求めて』の第一巻をあわせて買い求めておくことをすすめたいと思いますね。

吉川　宅配便も夜中の三時には来てくれないだろうから。

19

戦争とは、誤訳や食い違いの極端な継続にほかならない

エミリー・アプター
翻訳地帯
——新しい人文学の批評パラダイムにむけて
秋草俊一郎、今井亮一、坪野圭介、山辺弦訳、
慶應義塾大学出版会、二〇一八年

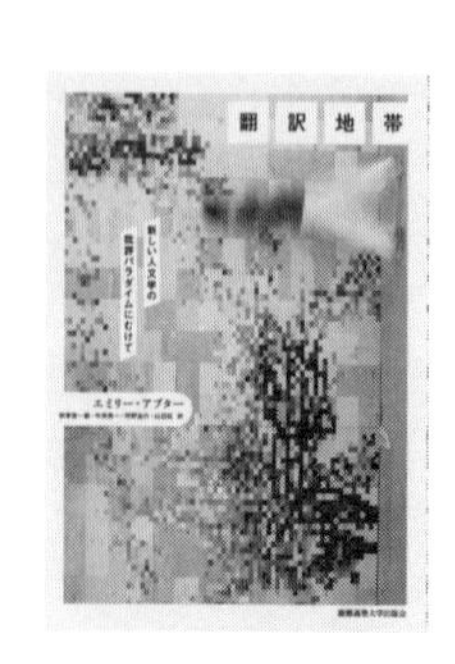

山本　やあ、ようやく終わったね。

吉川　苦節五年、メアリー・セットガスト『先史学者プラトン——紀元前一万年－五千年の神話と考古学』（朝日出版社、二〇一八年）が翻訳刊行されました。

山本　二人の共訳としてはジョン・サールの『ＭｉＮＤ——心の哲学』（朝日出版社、二〇〇六年）以来の二冊目。

吉川　翻訳って当たり前だけど大変だよね。

山本　なにしろ普通に本を読むときなら少々飛ばし、わからないところは置いておいてもいいところ、翻訳では一言一句おろそかにせず訳さないといけないからね。

吉川　しかも、これまた当然だけど、原著をどの程度理解しているかが問われるし、それが訳文にあらわれる。正直しんどい。

山本　それはともかく、セットガストさんの本は、プラトンが書き残したアトランティスの伝説を、幅広い考古学の調査とつきあわせることで検証してみせるという点で類を見ない試み。

吉川　うん、まるでパズルのピースをあちこちから集めてきて大きな絵を浮かび上がらせるようなすごい仕事であることは間違いない。

山本　というわけで、今回は、翻訳研究の方面で注目すべき本が出たので、それをご紹介しようか。

吉川　そうしよう。

山本　まずはエミリー・アプター『翻訳地帯——新しい人文学の批評パラダイムにむけて』（秋草俊一郎＋今井亮一＋坪野圭介＋山辺弦訳、慶應義塾大学出版会）から。原書は二〇〇六年に出ている。

吉川　書名がすでに面白い。翻訳地帯、Translation Zone。

山本　国境のような明確な境界とも、単なる混沌とした場でもなく、複数のなにものかが互いにトランス（横断）しあう場所というほどの含意がある。

吉川　一六章からなる目次を見てもわかるけど、言語同士の翻訳のほかにも、政治、軍事、人文学、言語消滅、テクノロジー、メディアなど、多様なテーマが「ゾーン」という概念を中心に検討されている。

山本　全体は一六章が四部と結論に分けられている。第一部「人文主義を翻訳する」、第二部「翻訳不可能性のポリティクス」、第三部「言語戦争」、第四部「翻訳のテクノロジー」。

吉川　翻訳そのものというより、翻訳という営みがもたらすものに焦点が当てられている。

山本　うん、翻訳研究といえば、従来は文学をテーマにすることが多かったと思うけれど、本書は翻訳という人間の営みが、現実の世界のあちこちで行われてどのような変化を生じさせているかという点に注目しているね。

吉川　そういう意味で、第一章「9・11後の翻訳――戦争技法を誤訳する」の冒頭に書かれたエピソードは示唆的だ。

山本　国防高等研究計画局が開発した戦地で使うための携帯用機械翻訳装置の話。

吉川　「手を上げろ」といった命令をアラビア語やクルド語に機械が翻訳してくれるという。

山本　うまく行けばもちろん便利なんだけど、そうは問屋が卸さなかった。戦地での緊迫した場面では、誤訳が死を招きかねない。

吉川　この本を手にとる人の多くが、帯の文句から強い印象を受けると思う。クラウゼヴィッツのパロディで、「戦争とは、誤訳や食い違いの極端な継続にほかならない」と書かれている。

山本　実際、紛争地での機械翻訳の応用においては、翻訳の食い違いによって戦闘行為や意図せざる殺害が起こりうる。

吉川　実はあらゆる翻訳が持っている極限みたいなものが現れている。

山本　鳥飼玖美子『歴史をかえた誤訳』[1]（新潮文庫、二〇〇四年）も思い出すね。外交交渉でも誤訳は致命的であることがわかる。

吉川　「日報における『戦闘』とは、法的な意味での『戦闘行為』ではない」という超訳もあったね。

山本　笑えない超訳、誤訳はあちこちにあって、それが現実に影響を及ぼしているとしたら到底無視できない。

吉川　それから、扉の後に提示された「翻訳をめぐる二十の命題」もこの本のスタンスをよく表している。

山本　「翻訳可能なものはなにもない」という懐疑主義から始まって、「すべては翻訳可能である」という合理主義まで二十の命題が並べられている。

吉川　ふたつの命題がどちらも成立するという矛盾。アンチノミーの形をとっているんだよね。

山本 翻訳とはそういう営みだというわけだ。

吉川 そしてこのふたつの命題のあいだ、中間にあるグレーゾーンが、この本でいう翻訳地帯で、そこに先ほども述べたような多様なトピックが入っている。そういう二重の構造を持った本です。

山本 話題があちこちに飛ぶので、通して読むよりトピック単位で読むといいかもね。本全体は、整ったマップというよりは、著者が翻訳にまつわる探索を行った過程を報告したものだと思うとよいかも。気になるところから読めばいい。

吉川 あと、ちょっと懐かしいポストモダン風の文体で書かれているので、こういう書き方に不馴れな読者は少し手間取るかもしれない。とはいえ、いま述べたようなアンチノミーの見立てを念頭に置くと、興味を持って読める。

山本 われわれ自身にも身近なところでいえば、テクノロジーの議論があるね。

吉川 第四部で論じられている「ネットリッシュ」はその一例だ。

山本 ネット風の英語のこと。インターネットという技術環境によって、そこで使われる英語の表現に変化が生じたという話。

吉川 同じようなことはわれわれにも起きつつある。例えばGoogle翻訳で適切に訳されるような文体で文章を書くよう努めるとか。

山本 AIスピーカーが認識しやすくしゃべるとか、よりよい検索結果が出るような検索語を入力するとかね。

吉川　移民の言語についてもこれとパラレルの面がある。日本語を母語としない人と街角やお店で日本語を通じて話すようなとき、必ずしも文法にのっとっていない彼らの言葉を聞いて理解に努めようとしたり、こちらも彼らにわかるように表現を選んだりする。

山本　学校でも、ときどき留学生から、「山本先生の日本語が聴き取りやすいのはなぜか」って聞かれることがある。というのは自慢話じゃなくて、教室に集まる知識や言語のレヴェルが多様な人の集団に向けて、話し方を調整しているからなんだよね。

吉川　学校で子どもと話すとき、会社で上司と話すとき、その他どんな場面でもいいけど、われわれはそのつど状況に応じて意思疎通しやすくなるように話し方や書き方を変えたりもする。

山本　大雑把に二つの言語が接触して言語に生じる混淆や変化を「クレオール化」と呼ぶとすれば（本書では第一一章で扱われる）、そうしたマイクロ・クレオール化とでも言うべき変化が生じてるとも言えるよね。

吉川　それがいまではテクノロジー環境によっても生じている。

山本　なんでも命名すればいいってもんじゃないけど、デジタル・クレオール化とでも言うべき状況だ。

吉川　以上は一例だけれど、こんなふうに本書が提示している各種の翻訳地帯で生じている出来事は、翻訳という言葉からは一見連想しがたいような状況にも関わっていることがわかる。

日本文学の輸出、流通、逆輸入

河野至恩、村井則子編
日本文学の翻訳と流通
――近代世界のネットワークへ
アジア遊学216、勉誠出版、二〇一八年

山本 次は河野至恩、村井則子編『日本文学の翻訳と流通――近代世界のネットワークへ』（勉誠出版、二〇一八年）です。

吉川 これもまた着眼がいいよね。われわれは海外の文物の日本語への翻訳については馴染みが深いけれど、その逆についてはあまり気にすることがない。

山本 本書は主に近代において、日本の文学作品がどのように他の言語に翻訳され流通していったかという点について、一三本の論文を集めたもの。

吉川 これも大きな構成を見ておけば、第一部「日本文学翻訳の出発とその展開」、第二部「俳句・haiku の詩学と世界文学」、第三部「生成する日本・東洋・アジア」、第四部「二

山本　これまた多様で広いトピックが入っているよね。○世紀北東アジアと翻訳の諸相」、第五部「〈帝国〉の書物流通」。

吉川　ひとつひとつの論文が、さらに広いテーマへの入口にもなっている。

山本　いまでこそ英語やその他の言語で日本文学のアンソロジーが編まれているし、洋書売り場に行けば日本語で書かれた小説や漫画の翻訳版が並んでいるのを目にできる。でも、そもそもこうした翻訳はどのように始まり、営まれたのか。

吉川　その点、不勉強ということもあるんだけど驚いたのは、第一部のマイケル・エメリック「日本文学の発見――和文英訳黎明期に関する試論」に書かれていた話。日独翻訳の初期の例として、アウグスト・プフィッツマイアーによる柳亭種彦の『浮世形六枚屏風』（一八二一年）が取り上げられている。

山本　一八四七年に刊行されたというから、そろそろ幕末という頃だね。

吉川　そこでは、プフィッツマイアーのこの翻訳が「ヨーロッパの言語に訳された初めての日本語の物語である」と言われている。思った以上に最近のことだ。

山本　プフィッツマイアーがどうやって翻訳したかという顛末もすごいね。彼はそのために四万語を集めた辞書をこしらえたというのだから。しかも文法も手探りで理解したみたい。

吉川　辞書も文法書もないところから自力である言語を読み解くとか、その行為自体もすさまじいけど、成し遂げるだけの熱意も驚くべきものだね。

山本　その論文には、プフィッツマイアーの翻訳を紹介したウィリアム・ターナーという人が一八四九年に行った講演の言葉が引用されているんだけど、こういうくだりがあるよ。「原典で使われている言語それ自体は日本で一般的に使われているものです。しかし、ヨーロッパ人にとってはそれが最大の難関なのです。というのも中国語の知識など、原典で使われている言語を理解する上でなんの役にも立たないのですから。（略）文法や文体に加えて、ちょっとした表現すらもわからない。日本語の文法に固有の形式はどの参考書にも載っていないのです。」と。

吉川　一九世紀半ばの時点では、日本語の文法も知られていなかったのか。

山本　ただ、ちょっと補足すると前例がなかったわけじゃない。戦国末期から江戸初期にかけて来日した……。

吉川　イエズス会か。

山本　そうそう。イエズス会士やドミニコ会士が日本語の文法書と辞書をつくった例がある。例えば、ロドリゲスの『日本小文典』とか『日本大文典』はラテン語文法をベースにして日本語の文法を解説した本で、ポルトガル語で書かれている。

吉川　それって後に伝わらなかったってことかな。政治や宗教との関わりとかで。

山本　本自体がほとんど伝わっていないこともあって、知られていなかったのかもしれない。

吉川　『日本小文典』がヨーロッパで普通に手に入っていたら、プフィッツマイアーさんももうちょっと苦労が少なかったかもね。

山本　そこが歴史のいたずらと言うべきか。話を戻せば、本書は主に一九世紀から二〇世紀に試みられた日本文学の翻訳に関する論考が並んでいる。

吉川　とりわけ象徴的で面白いと思ったのは、第三部の義経＝ジンギスカン説の輸出と逆輸入の話と岡倉天心の逆輸入的受容（それぞれ、橋本順光「義経＝ジンギスカン説の輸出と逆輸入――黄禍と興亜のあいだで」、村井則子「翻訳により生まれた作家――昭和一〇年代の日本における「岡倉天心」の創出と受容」）。

山本　翻訳を通じて「輸出」されたものが「逆輸入」されたり、天心の場合なら彼が英語で書いたものが日本語に訳されて「再発見」されたりした事例だ。

吉川　これはまさにさっきのアプターが言う翻訳地帯の出来事というか、翻訳という行為が、いかにして認識を形成したり、人びとを動かしたりするかという好例。

山本　そこにはひょっとしたら、翻訳という営みが持っている価値創造のしくみが関わっているかもね。

吉川　そこ、もうちょっと詳しく。

山本　つまりほら、漱石なんかが海外からくる文物のことを「横浜の港から舶来した思想を担いでありがたがる輩」（大意）とかいってなかば揶揄していたけど、海の向こうから言語を越えてもたらされるというその来歴が、受け取る人にある種の価値の感覚を与えるということがあると思うんだよ。

吉川　それは抜きがたくあるだろうね。ファッションにしても美術にしても各種の商品に

山本　しても、そういう側面はあるよね。明治の頃に比べたらだいぶ薄れたかもしれないとはいえ、憧れを誘いもするし。

吉川　それともうひとつ注目しておきたいのは、書名にも入っている「流通」の側面。「ふらんすへ行きたしと思へどもふらんすはあまりに遠し」[2]は大正か。

山本　大日本帝国占領下の地域における書物の流通について二本の論文が収められている。

吉川　帝国の書物ネットワークというリアルな物流の問題は、先ほど話が出た言語の混淆現象、クレオール化の問題と一緒に考えると面白いかもしれない。

山本　過去に書物がどう流通し、誰の手や目に入ったかという事実の痕跡を辿るのは容易なことではないけれど、そうした状況がわかると、目下見失われがちな、書物の備える力や影響力を認識するきっかけも得られると思うな。

吉川　書物の存在を通じて、植民地における支配者、被支配者の意識や記憶にどのような影響や変化がもたらされたかという問題だ。

山本　考えてみたら、われわれ自身の置かれた言語環境も似たような面があるよね。さまざまな時代や場所からやってきた各種言語の書物や、現在ならウェブを通じて、あるいは身近にいる移民や留学生などを通じて、自分自身の日本語が自分でも気づかないレヴェルで日々変化している可能性がある。

吉川　今回取り上げた二冊の翻訳研究書は、翻訳という言葉から普通連想されるような言語の変換という範囲をはるかに超えて、それが社会や歴史や政治やテクノロジーなど、人間のさまざまな活動に関わっていることを教えてくれるものでした。

山本 引き続き注目したい領域です。

吉川 今回はこのくらいかな。

山本 うん、ではまたご機嫌よう。

註

1 鳥飼玖美子『歴史をかえた誤訳』（新潮文庫、二〇〇四）は、『ことばが招く国際摩擦』（ジャパンタイムズ、一九九八）をもとにした文庫版。国際交渉のような場面では、たった一語の誤訳が大きな影響をもたらしうることを、多様な事例で論じる。（山）

2 「ふらんすへ行きたしと思へどもふらんすはあまりに遠し」は、萩原朔太郎の詩「旅上」の一節。「せめては新しき背廣をきてきままなる旅にいでてみん。」と続く。（山）

20

サイコロからはじまる知のグランドツアー

マーカス・デュ・ソートイ
知の果てへの旅
冨永星訳、新潮社、二〇一八年

吉川　さて、とうとう最終回です。
山本　思えば遠くへ来たものだ。
吉川　というわけで、終わりを飾るにふさわしいテーマにしよう。
山本　最後だから風呂敷を広げて大きな話がいいね。
吉川　うん。そしたら、「知」そのものをテーマにしたような本を取り上げようか。
山本　いいね。

吉川　今年は山本くんがお気に入りの本があるらしいじゃないですか。

山本　よくぞ訊いてくれました。数学者のマーカス・デュ・ソートイが書いた『知の果てへの旅』です。

吉川　ソートイといえば『素数の音楽』（新潮社）をはじめ、邦訳されて広く読まれている名手だ。

山本　この本は、宇宙や世界について人類が知っていることの果てというかな、ここまでは分かっていて、ここから先は誰も知らない。そういう意味での果てをテーマにしている。

吉川　いい邦題だよね。セリーヌの『夜の果てへの旅』を思い出す。原タイトルを見ると、「*What We Cannot Know*」なんだよね。そこもまた面白い。これは今回取り上げるもう一冊とも関係する。

山本　ソートイさんの本はいつもそうだけれど、この本もつかみがうまくて引き込まれる。

吉川　今回はサイコロの話からはじまるんだよね。

山本　そう、六面体のサイコロなら振ったら一から六のいずれかの目が出る。こんな簡単なことなんだけれど、人類はサイコロの目を正確に予測できない。それはなぜなのか。本当に予測できないのか、というところからはじまる。

吉川　誰もが知っているこの小さな道具に、すでに「知の果て」がある。

山本　ではどうやって予測するか。一つのやり方としては、何回も振って「だいたいこうなる」という確率や統計による捉え方がある。

吉川 でもいまから振るサイコロでどの目が出るかを当てられるわけではない。

山本 そうなると、他にサイコロの目をぴたりと当てるにはどんな手があるか。

吉川 物理的にサイコロの挙動を予測する方法がある。

山本 サイコロの初期状態と、振られたときにどんな動きをするかが分かれば、最終的にどの目が出るかが分かるはず、という発想。

吉川 古くは「ラプラスの魔」のように、宇宙を構成するすべての物質の位置と状態、それらを統べる法則が分かれば、そのあとどう変化するかを正確に予測できるという発想もあった。

山本 一見有望な手なんだけど、そうは問屋が卸さない。カオスの壁が立ちふさがって予測できない。

吉川 ここに知の果てがあるわけだ。

山本 とまあ、こんなふうにしてサイコロの目を当てられるかという問いから出発して、さまざまな発想を検討にかけてゆくんだよね。

吉川 読んでいてすごくうまいなと思うのは、サイコロの一振りからさまざまな科学分野を遍歴していって、そのうえで分からなさが浮き上がるようになっているところ。力学や確率論は当然として、量子論も出てくるし、脳神経科学の話にもなってくる。現代のサイエンスの現場を追体験する一大グランドツアーになっている。

山本 まさにね。世界そのものの分からなさと、それを観察するわれわれ自体についての分からなさの両面を押さえている。

吉川 サイコロをマクガフィンのように使っているんだよね。

山本 ヒッチコックが映画のなかで話を進めるために使う小道具をそう呼んだんだった。

吉川 そして世界や人間の意識についてこれまで分かっていることを総ざらいしながら、その果てに迫ろうとする。

山本 分かっていることを通って分かっていないところにたどり着く。それで先ほどの原著のタイトルのように、「私たちには分からないもの」、なにが分かり得ないのかというからくりに迫ろうと。そういう意味では、たんなる自然科学の本というよりは、この連載で何度か言及したカントの『純粋理性批判』のような哲学の営みを試みた本でもある。

吉川 ところで、こういう本を読むと、われわれは「いや、でも科学でも分からないことがあるよ」とか「科学では解明できない謎がこの世にはある」という、オカルトの常套句にも通じるような言い方をしがちだよね。でも、ソートイはそれを敗北主義と言って自らに厳しく禁じている。

山本 それを言っちゃあおしまいよ、だからね。あくまでもすべてをスッキリは分からないが、近似として迫ることはできるというポジティヴな科学観に基づいている。

吉川 そうだね。ソートイが「分からないこともあるんだよ」とポジティヴに言う場合、そう言えるということは、彼には「どこまでは分かっていて、どこからが分かっていないか」が分かっているものとして想定している。でも、実はそのこと自体がわれわれには分かりにくかったりする。なにしろその境界線が動いていくのが科学の営みだから。

山本 実際この本でも何度か強調されていると思うけれど、かつてはこんなことは絶対知り得ないと思われていたことが後に解明されることもある。ある時代における知の限界が、そのまま未来永劫知の限界であるとは限らない、そういうことも視野に入れている。

吉川 「知の果てへの旅」の「果て」をどう捉えるかは、結構難しい。ソートイがこの本で見せてくれたように、人間の営みそのものが果てをつくっていく面は確実にある。

山本 そう。もう一つ、単純だけど見逃せないのは、結局のところ「知りたい」からこそ分からない謎が現れるという仕組み。知りたいと思う人がいないところには、そもそも果てもなにもない。例えば「物質はどこまで分解できるだろう」と思う人がいるから、「これで完全に分解できたのか、まだなのか」という疑問が出てきて実験その他のチャレンジを行う。問いがあるからこそ果ても生まれる。

吉川 しかもこの本のいいところは、モチーフとしてはわれわれが話してきたような抽象的、あるいは形而上学的な話なんだけど、でも内容そのものはあくまで現代の諸科学のシーンに即している点だよね。知的にものすごく興奮できる。

山本　そう、こういう本を高校生くらいで読めたら本当に幸せだろうなと。そういう意味でも素晴らしい。

吉川　この夏の読書にもってこいですね。

山本　ちょっと分厚いけど、読み始めると残りページ数が惜しくなってくるような本です。

吉川　これが新潮クレスト・ブックスという文学を中心としたレーベルから出るのも面白い。『素数の音楽』もそうだったけど。

山本　面白いね。おかげでこの本は、科学書コーナーにあるけど、文芸書コーナーで小説と並んでもいる。とてもいいと思うな。

知の果てから無知の知へ！

スティーブン・スローマン、フィリップ・ファーンバック
知ってるつもり
――無知の科学
土方奈美訳、早川書房、二〇一八年

吉川　知の果てを探究するということは、さきほど紹介した本の原題にもあったとおり、

What We Cannot Knowという領域を知ることでもある。でも、実際にはわれわれが知っているつもりのことでも案外間違っていたりするんだということを教えてくれるのが次の本だね。

山本 書名もそのままズバリ『知ってるつもり——無知の科学』。ソートイの本が人類にとっての未知をテーマにしていたとすれば、この本は、吉川くんがいま言ったように、われわれ自身の未知の話をしている。ごく簡単に言えば、個々人というのは実はそんなにたくさんものを知っているわけではない。

吉川 むしろ知らないことのほうが厖大だから。

山本 にもかかわらず、集団になったとき、ものすごいこともできる。その仕組みについて考えようとするというのが基本的なモチーフ。

吉川 そのとき前提にあるのが「知識の錯覚」。原題も「*The Knowledge Illusion*」だ。

山本 人は自分があまりものを知らないことを自覚していなくて、知ってるつもりになっているだけという事実がベースにある。

吉川 そのためにわれわれはいろいろな失敗をやらかす。ポイントは、無知そのものというよりは、無知であることへの無自覚というかな。

山本 自分の知識の状態、なにかについてどの程度知っているのか、知らないのかという知識の状態についての自覚がない、錯覚しているという話。

吉川 それで言うと、この本の冒頭はとても印象的だ。

山本　一九五四年三月一日にアメリカが太平洋で行った水爆による核実験「キャッスル・ブラボー」が例として挙げられている。
吉川　第五福竜丸が被曝した事件でもあった。
山本　アメリカ海軍が危険とみなしていた水域の外にいたにもかかわらず、第五福竜丸は大きな被害を被った。加えて爆発の数時間後、放射性廃棄物の雲がロンゲラップ環礁やウチリック環礁上空に達して、島の住民たちまで被曝の被害にあった。
吉川　どうしてそうなったかというわけだ。
山本　要するに爆発の規模が事前の想定よりはるかに大きかったから。読み誤りが原因だった。
吉川　ことの是非は別として、著者たちも言うように、個々人としては限られた知識しか持っていない人間の集団が、水爆のようなものを考案するに至る知識と技術の積み重ねそのものは驚くべきことだ。
山本　また、そうしたものを実際につくりあげるだけの組織や経済の仕組みがあることもね。
吉川　ただ同時に、生じるかもしれない結果に対する予測については、言ってしまえば無知だった。
山本　「知ってるつもり」が起こした悲惨の典型例。人が集団で知識をあわせてすごいことも達成できるのと裏腹に、あとから見ればば本当にばかげたどうしようもない失敗もやってしまう。いかにも人間的、あまりに人間的な事情に迫る本。

吉川　個々人のレベルで見たら、われわれは体力的にも認知的にも狩猟採集時代の人間に全然かなわないだろうとはよく言われることだよね。

山本　それで言えば、この本では自動化のパラドックスという話が出てくる。

吉川　コンピュータをはじめとする機械がどんどんつくられて、いろんなことが自動化され、便利になっている。ただ、いいことばかりではない。

山本　ここでは二〇〇九年に墜落して二二八人の死者を出したエールフランス四四七便の例が紹介されている。ブラックボックスの分析によれば、飛行機が落下をはじめた際、副操縦士が通常の対応とは違って機首を上に向けようとしたという。

吉川　二〇一三年にアメリカ連邦航空局がまとめた報告書によれば、パイロットが自動操縦システムに依存しすぎた結果、基本的な手動操縦能力を失って、不測の事態に対処できなかったと。

山本　この手の問題は、車その他の自動化も進みつつあるこれから先、より身近で大きな問題になるかもしれない。

吉川　著者たちはここで興味深い指摘をしてる。人間同士で協力する場合なら、相手がなにに注意を向けているかという「志向性」を共有するので協調できる。でも、残念なことに現在の機械は人工知能のプログラムを含めて、人間と志向性を共有できるようになっていない。

山本　マン＝マシン・インターフェイス[1]の大きな課題だね。なにしろ志向性を含む人間の意識状態自体、まだ解明の途中にある難問でもあるから。

吉川 自動化のパラドックスは、いまの航空機の操縦が典型だけど、安全に物事が進むように自動化する際に生じる。その安全な仕組みが有効であればあるほど、人間はどんどんその仕組みに任せるようになる。

山本 なにしろ、その仕組みがうまく機能している間は、人間がやるより正確・安全に稼働するわけだからね。

吉川 ところが自動化された仕組みに人が依存すればするほど、当然ながら、その仕組みについての理解や熟練を要しなくなる。結果的に機械の故障や不慮の出来事などによって自動化された仕組みが機能しなくなったとき、非常に危険な状態に陥ってしまう。

山本 安全を目指して機械を設計・運用したはずが、結果的に大きな危険を招いてしまうので、これを一種のパラドックスというわけだ。

吉川 著者たちは、こうした状況を別の角度からも論じている。昔から人間は「認知的分業」をやってきたんだけど、いまは認知的分業を行う規模も、システムも、細分化もすごく進んでいる。その結果として壮麗な分業システムによる高度なテクノロジーが可能になったわけだけれど、さっきの事故みたいな話になると、その限界もまた同時に露呈する。

山本 もう一つ、知能に関して注意しておきたい指摘もしているね。目下は人工知能が盛んに議論されているところだけど、知能なるものをどう捉えるかは相変わらず難問。そしてどうかすると、知能は頭のなかにあるとイメージしがちなんだけど、著者たちはそうじゃない、知能はむしろ自分の外側、他人とかモノとか環境のなかにあって、それをわれわれは活用しているんだよと述べている。

吉川　こう言ったらご本人たちは嫌がるかもしれないけれど、かなりベルクソン的、あるいはギブソン的。

山本　言い換えれば、生態学的な知能、環境とのやりとりによって成立する知能だね。

吉川　実際、暗算一つとっても、知能というものは生態学的に捉えないと到底その実相を理解できないだろうというのは確か。

山本　あれを思い出すね。ジョセフ・ヒースの本に出てくる……。

吉川　第一回で取り上げた『啓蒙思想2・0』に載っている面白い逸話がある。宇宙人が人を誘拐して調べてみた。そのとき、人間にはどのくらい知能があるのかというので、宇宙人が人間に計算させようとする。五八×六一とか。

山本　全然できないんだよね。

吉川　そう。で、宇宙人が呆れる。文明とか言ってるくせに、こんな計算もできないのかと。人は「すみません、紙とペンを持ってきてください」と言う。「なんでそんなものが要るんだ。ご自慢の知能を使って頭でやればよかろう」「いや、ごめんなさい。それを使わないとできないんです」「なんだそれは。そんなものは知能と呼ばない」という。

山本　まさに自分の外側にある道具や環境の力を借りてものを考える。生態学的な知能のあり方だね。

吉川 環境のなかには他人もいる。チームワークなんていうのも自分以外の知識やスキルを活用する営み。

山本 この本には科学の例も出てくる。科学の発展は、孤高の天才が独力であるときひらめいてもたらされるイメージがあるかもしれないけど、そうじゃない。先行研究や他の科学者との意見の交換や論争のやりとりのなかで発想するわけだから。

吉川 そういう意味で興味深いのは、われわれは自分が知っていると思っていることは案外知らない。でも、自分がまさかそんなことをしてると思っていないようなことをしてもいるのだということ。そこがとても面白い。

山本 われわれは、自分の知の働き自体について無知だという面白い状態が指摘されている。

吉川 それと、この本にはいろんな具体例が出てくるけど、政治についても取り上げられているね。

山本 この点は残念なお知らせという感じだね。なにしろ、政治的な意見について、人は知識の量や理屈より、信じたい価値観に従うようだから。

吉川 SNSでも日々そうした価値観の違いで無数の摩擦やケンカを目にするようになった。

山本 人間とはそういうものだという前提で、それでもできることがあるとすれば、よりましな意思決定をできるように補助することだと著者たちは指摘している。

吉川 それ自体はリチャード・セイラーやキャス・サンスティーンたちが言う「ナッジ」の

発想の援用だ。

山本　つまり、人はなにか行動を選ぶとき、必ずしもいつも最高の選択をするわけではない。行動科学の知見を使って、人がよりましな選択をしやすくなるように工夫はできる。

吉川　例えば、皿を自分で選び取りながら進むカフェテリアで、料理をどういう順に並べるかで、野菜の多い食事にする手がかりをつくるとか。

山本　つまり、ちょっとつついて行動を促す（＝ナッジ）わけだね。

吉川　もちろんそのとき、なにが「よりましな選択」かといった問題もあるにしても、あくまでも選択そのものは個々人の自由に委ねられている。

山本　そんなわけで、あまり多くのことを知らない個々人が、それでもよりましな判断をするにはどうしたらいいかという問題提起をする本です。

吉川　ニュートンがフックに宛てた手紙に書いた「巨人の肩に乗る」という喩えがよく知られるけれど、まさに人間が過去の蓄積も含めて、集合的に知識を働かせるというのも一つのやり方。あと、個人というレベルを離れて、生態学的にナッジを使う。それこそ紙とペンを使うだけでまったく違うとかね。

山本　そういうふうに無知を自覚したうえでなにができるかという方向に話を運んでいる。月並みな言い方にはなるけれど、さっきのソートイと同じで、知らないという自覚がなければ知はそもそも前に進むことができないと。

吉川　ベストセラーになったユヴァル・ノア・ハラリの『サピエンス全史』に印象的なこと

が書いてある。科学とは、なにを原理としているかという場合、実験とか観察とかいろいろ言われる。でも、ハラリが言うのは、無知の自覚というのがいちばん大きい、だからこそ科学はこれだけ発達してきたのだということ。確かにそうかもしれない。普通の意味での神話や宗教の場合、「これで森羅万象全部分かります」という最終的な答えを与えるけれど、科学はそれとはまったく逆の姿勢。

山本 本来なら、無知は当てにならないものだと思われるけど、むしろ無知こそが知のエンジンというわけだ。

吉川 そういうわけで、今回は最終回ということで、知そのものを扱った本を取り上げました。無知の大事さを痛感する本だね。

山本 最後はソクラテス先生の「無知の知」のような話になりました。

吉川 さて、長いあいだおつきあいいただき、ありがとうございました。

山本 このような場を与えてくださった東浩紀編集長、ならびに毎回の編集作業を担ってくださった編集部のみなさんに感謝申し上げます。ありがとうございました。

吉川 またどこかでこういう話ができればと思います。

山本 では、ご機嫌よう。

註

1 「マン＝マシン・インターフェイス」とは、人間とコンピュータが接触する面のこと。広い意味では、ディスプレイやキーボードやタッチパネルといった、人がコンピュータを操作するためのしくみも含まれる。なかには「ブレイン＝マシン・インターフェイス」と呼ばれる、脳波によってコンピュータを操作するしくみもある。（山）

Special Content

青春の読書篇

大学生時代に何を読んでいたのか

山本　先日、『手のひら1』[1]（本の雑誌社、二〇二〇年春）という本で高校時代の読書体験の話をしました。今回は大学時代の話でもしてみましょうか。

吉川　うん。山本くんと私は同じ大学なんですけど、親しくなったのは大学三年のころかな。赤木昭夫先生のゼミで一緒になったのが始まりです。存在自体はその前から知ってい て、仲良くなる前にも一度、共通の友人といっしょに大学の近くに住んでいた山本くんの部屋に行ったことがある。

山本　そうだった。来ましたね。

吉川　部屋には本がたくさんあって、「お、この人も本が好きなんだ」と思いました。飲みかけのウイスキーの瓶があって、酒も好きなんだと分かった。描きかけのキャンバスなんてものもあって、何が描かれていたかというと、キース・リチャーズの肖像画。あと目に入ったものが、もうひとつ。部屋の片隅に置いてある本にメモが付いていて、「山本先生　本をありがとうございました」と書いてあった。山本くんは塾講師のアルバイトをしていたから「先生」と呼ばれていたんだろうけど、学生のころから先生キャラだったんだなあ。

山本　すごい記憶力。当人が覚えてないことまで！　じゃあ吉川くんの部屋の話もしようか。何度かお邪魔したことがあって、目に焼き付いているのは、部屋の片面が全部本棚なんだよね。思潮社の詩人選集（現代詩文庫）がひと揃い並んでいて、この人は詩を読むのかと、とても印象に残りました。それと部屋の片隅にマリリン・モンローのポスターが貼ってあった。

吉川　あのポスターはすごくいい写真だったでしょう。米子の近所のホームセンターで買ったものです。東京では見当たらなくて、大学に入って最初の夏休みに持ってきたんですよ。正確にいえばスクリーンなので布製。

そんな大学生活のなかで私たちは何を読んでいたのか。高校を卒業して三〇年ぐらい経っているわけで、遥か彼方の記憶ですけど。

養老孟司とドストエフスキー

山本　吉川くんと私の大学生時代は、一九九〇年から九四年にかけての九〇年代前半。私がこの頃にはまったのは、まずは養老孟司さんの文章です。養老さんは当時東京大学の解剖学の先生で、『唯脳論』（青土社、一九八九年。のちにちくま学芸文庫）が話題になり始めていたと思う。『唯脳論』の元になったのは『現代思想』（青土社）の連載で、同誌のバックナンバーを読み漁っているときに遭遇しました。脳科学が流行りはじめた時代。唯脳論というのは、人間の社会や都市、習慣や言語のような文物は要するに私たち人間の脳の反映である、と万事をさばいていくものの見方。それまでにあまり見かけたことのない議論でした。そういえば、『現代思想』の文章は、長くこみいった文章が多くて、一筋縄でいかないんだよね。

吉川 みんなフランス現代思想に憧れていたから。

山本 フーコー、ドゥルーズ、デリダとか。そんな中で養老さんの文章は、短いセンテンスで物事を明晰に記してゆくのが印象的でした。さわやかで、とても好きでしたね。

吉川 山本君が養老孟司の本を読んでいたのは記憶にあります。影響されて僕も読んだんだと思う。自分が読んだ本で印象深いのは、月並みですけれど、ドストエフスキーの『カラマーゾフの兄弟』（新潮文庫など）ですね。人間がどんなことに苦しむのか、また、どんな夢や希望をもちうるのか、その両面を描いた素晴らしい作品でした。大学三年から四年のころはドストエフスキーばっかり。

山本 『カラマーゾフ』が最初に読んだドストエフスキー?

吉川 最初は『罪と罰』かな。『カラマーゾフ』より短いし、推理小説っぽくて読みやすいし。そこから夢中になったんだと思う。ドストエフスキーを読んで、人間とはなにかといったようなことを初めて意識しました。

山本 それ以来、読み続けているんだね。

『神聖喜劇』の世界観

吉川　学生時代は大長編小説にも時間をたっぷり割けたから、こういうすごい作品は他にないのかと調べては数珠つなぎで読んでいました。『カラマーゾフ』の次に思い出深い長編は、大西巨人の『神聖喜劇』かな。本編の第四回でも取り上げているけど、第二次世界大戦時の日本軍を舞台に、東堂二等兵という末端の兵隊が、新兵いじめのような理不尽に対して超人的な記憶力を武器に闘いを挑むという話。読んでいくうちに、一見理不尽で不合理に見えたことが案外そうでもないということもわかってくる。これは、日本軍の世界を描いた小説として定評のあった野間宏の『真空地帯』へのある種のアンチテーゼとして出された小説であることからも、よくわかる。大西巨人は、軍隊の世界は「真空地帯」などではなく、我々の普通の社会と地続きであり、決して端的に理不尽、不合理なものではないということを描きます。たいへん衝撃的でした。

山本　学生時代、仲良くなる前からのことですけど、吉川くんと通学のバスやキャンパスで出会うと本のリストを見せてくれたよね。最近読んだ本を記したメモを広げて、いかに面白いのかをその場で語ってくれる。大西巨人、大江健三郎、深沢七郎、埴谷雄高なんかが書いてあったかな。それと記憶によく残っているのはティム・オブライエンの『ニュークリア・エイジ』（文藝春秋、一九八九年。のちに文春文庫）。

吉川　いま聞くとちょっとヤバい感じだね。

山本　吉川くんに会うたびに教えてもらった本を買ったり、図書館で探したり。大西巨人は吉川くんのおかげで読むようになりました。

吉川　我々の学生時代のリアルタイムでは、一時的に大西巨人は忘れられていたから、あまり知られていないけれどこんな面白い本がある、というマイナー趣味の楽しみみたいなのもあったと思いますね。

山本　光文社文庫から出し直しになったのはだいぶあとだった（二〇〇二年）。私は古本屋で箱入りのを手に入れたな。

吉川　私が読んでいたのは一九九一年版のちくま文庫。思い出深い本なので自炊はしていないです。こういう話をしたい相手にすぐに話ができるように、忘れがたいエピソードの個所は付箋をつけてあります。

山本　当時の付箋？　だいぶ古いね。いま見ても、その箇所っていう感じがするかな。

吉川　しますね。ちょっとネタバレになりますが、『神聖喜劇』は、東堂二等兵が戦争に行く前に終わってしまう。でももし、戦場に行っていたらどうなっただろう？　そこを想像するのも楽しいところ。ヒントになるような作品は大岡昇平の『野火』と『俘虜記』かな。

山本　戦争に行った後の話を書いている作品だ。

吉川　もちろん大西巨人と大岡昇平はそんな単純な関係じゃないんだけど、若気の至りというか、『野火』と『俘虜記』を『神聖喜劇』の続きとして読んだ思い出があります。

一般常識としてのレヴィ＝ストロース

山本　レヴィ＝ストロースの『野生の思考』（みすず書房、一九七六年）も思い出深い一冊。うちに何冊かあって今日持ってきたのは学生時代に古本屋で買ったもの。鉛筆書きで二千七百円とあるね。学生の頃、大船で塾講師のアルバイトをしていたんだけど、塾のすぐ横町に小さな古本屋があった。いつ行っても苦虫をかみつぶしたような顔をしたおじさんが一人でやっている狭いお店。

吉川　ザ・古本屋だ。

山本　私は授業のあいまとか前後に、その古本屋に行っては本を見たり買ったりしていました。今ではあんまり見かけないけど、古本屋はけっこう店主が客を選ぶんだよね。

吉川　いいね。

山本　その大船の古本屋のオヤジも、学生が入ってきて本を見てると、「何探してるんだい？　そういう本はうちにはないから」って追い出しちゃう。自分は幸いそういうことにはならなかったんだけど、行くたびどきどきしていました。

吉川　『野生の思考』の表紙はよく覚えている。この本を見て高いなあと思ったんだけど、とくに最終章のサルトルへの反論が読みたかった。

山本　そう、みすず書房の本は高くてなかなか手が出なかった。私は、文脈を押さえていなかったこともあって、サルトルへの反論というのはあまりよくわからなかったな。九十年代前半は現代思想がまだ元気だった時代。八十年代半ばのいわゆるニューアカブームから比べたら下火になりかかっていたけれど、レヴィ＝ストロースのように、このくらいは読んでおこうよ、という著者が何人かいました。構造主義（あるいはそれに続くポスト構造主義）という思想の潮流です。

　ちょっと私事を挟むと――というか、全部私事なんだけど、私は大学に入る前からコンピュータでプログラムを書くのが好きでした。プログラムとは、まさに構造を作る作業なんですね。そんな関心があったものだから、構造主義とはどういうものか、勉強してみようと思った。当時は三割も理解できなかったと思う。ヨーロッパの進んだサイエンスの世界が一方にあり、他方にそういうものが存在しない未開の世界、無文字社会があるという図式の中で、レヴィ＝ストロースは、未開とか無文字とか思っている社会にもあなた方の社会と同じような構造がありますよ、ということを角度を変えながら論じている。例えば、親族の構造という観点から見ると、文明と未開は大きく違うものじゃない、という見方を提示している。

吉川　『悲しき熱帯』（中央公論社、一九七七年）も読んだな。

山本　『親族の基本構造』（番町書房、一九七七―七八年。青弓社、二〇〇〇年）は、ある部族の親類関係を数学の群論、グループセオリーで記述するのが衝撃的でした（その部分は数学者のアンドレ・ヴェイユによる）。文系のものと思っていた文化人類学を、数学の構造という概念で考えている。こういう見方にはだいぶ影響を受けていて、今に至るまで文系と理系の重なりが気になるのはレヴィ＝ストロースのおかげでもあります。

学魔・高山宏

吉川　独自に広い視野から文化を見ようとしていたのは高山宏さんかな。いまなら観念史とか表象文化論と呼ばれるような学問の手法。『パラダイム・ヒストリー』（アスファルト・ブックス、河出書房新社）という本は、高山さんの著作の中では小さなものですが、ものを調べたり考えたりするうえで大きな影響を受けました。本を読むことがネットワークとマップにつながるようなやり方です。

種本として高山さんが紹介しているアメリカの文化史家、ワイリー・サイファーの『文学とテクノロジー』（野島秀勝訳、白水社）は、一九世紀の芸術家は産業革命や科学技術に反旗を

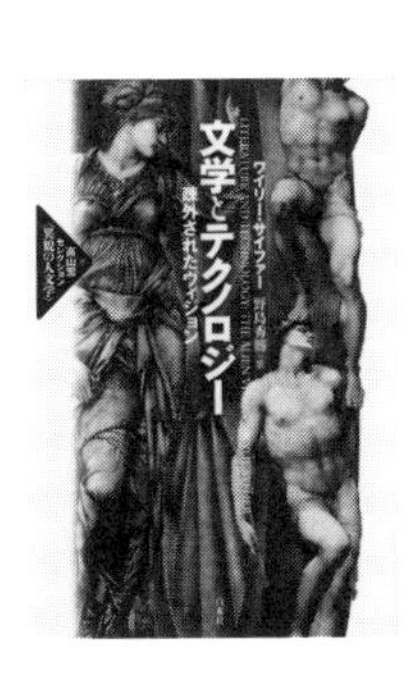

翻す存在とされてきたわけだけど、作品を見ると彼らもテクノロジーに魅せられていることがわかると言っている。たとえばゾラの自然主義がモデルにしてるのは写真の正確さだし、マラルメも計算で詩を書く。ラファエル前派は拡大鏡を使って絵を描く。そんなふうに諸分野間のネットワークの中で作品を読んでいくと、これまで見えてこなかったマップが立ち上がってくる。

山本　よく人から、こんなにたくさん本を持っていてどうやって選んでいるのかと聞かれるけど、本を読むとネットワークが広がって、どんどん読むべき本がやってくる。高山宏の徒としては、選んでいる場合じゃないんです。

私も高山宏さんに教えられたことはたくさんあります。ある言葉がこれまでどんなふうに使われて、現在に至るのか。そうした語源をたどるのも一種の観念史だと思う。高山さんの本を読んでいると、ＯＥＤ（Oxford English Dictionary オックスフォード英語辞典）をまずは見るんだ、みたいな話がよく出てきます。つまり、英語の単語ならそれが使われた古い用例を順番に載せた辞書です。この語は、ベーコン卿がこう使っている、その二百年後にこういうふうに使われている、と文例を実際に書かれた本から持ってくる。高山さんはそれを頼りに言葉の歴史を手繰っていて、とても面白い。私もそのやり方で、英語からラテン語を経由してギリシア語までさかのぼって確認したりしています。日本語も、翻訳の経緯を辿ってゆくと、最終的には古典ギリシア語やサンスクリットに根を持つものもある。言語が歴史的にもネットワーク状になっているのを高山さんに教えてもらいました。

吉川　考えてみたらどれもすごい影響を受けています。学生時代に読んだものはこうやって残るものなんですね。中身は忘れていても、体に染みついているという。

山本　面白いことに、読んでる最中は、それを使って将来なにかをしようだなんてちっとも考えてないんだよね。でも、後になってみると、学生時代に読んだものの枠組みを借りて、自分で手を加えヴァージョンアップしている感覚がある。

吉川　まあ、力及ばずダウングレードしているところも残念ながらあるわけですけど。
　次は、学校を出てからの読書体験について話してみましょうか。

山本　島耕作シリーズみたいだね。

吉川　いつか会長になるのかな。

註

1　吉川浩満×山本貴光「『読みたい』を叶える読書対談」

あとがき

本書は、東浩紀さんが編集長を務めるメールマガジン「ゲンロンβ」（ゲンロン）に連載した「人文的、あまりに人文的」をまとめたものです。

より具体的には、「ゲンロンβ2」（二〇一六年五月一三日）から「ゲンロンβ27」（二〇一八年七月二〇日）までの全二〇回の連載から成ります。本にまとめるにあたっては、これらの文章に加筆修正を施したうえで、新たに大学生時代の私たちの読書について話しあった「青春の読書篇」を加えました。

ことの始まりは、ゲンロンの上田洋子さんから吉川のもとに舞い込んだ依頼のメールでした。毎月何冊かの人文書を選び、数千字で書評を寄せてくれないかというものでした。本来なら二つ返事で引き受けたい魅力的なご提案でしたが、会社勤めやほかの物書き仕事と両立できるかどうか、ちょっと自信がなかった。そこで思いついたのが、対談によるブックガイドというスタイルでした。

いざ始めてみると、対談による本の紹介は、なかなかよいのではないかと思えてきました。一人で書評を書く場合とちがって、両者のあいだに本を置いて、これについてあれこれ話すのは、なにより楽しく気も楽です。というのは大学時代から現在まで、仕事とは関係なく顔をあわせるたび、私たちがいつもやってきたことだからかもしれません。また、同じ本でもお互いに注目する点が重なったりずれたりするので、自分だけでは気づかないことにも目が向くという、読書会のような効能もあります。

この点について、ひょっとしたらご参考になるかもしれないのでもう少し述べてみましょう。ときどき学校その他で、「本を読んで理解を深めるにはどうしたらよいですか」と尋ねられることがあります。そんなときは、読んだ内容を誰かに話すのをお勧めしています。

読み終わったばかりの本でも、いざ言葉にして説明しようとすると、基本的なところが抜けていたり、なんだっけと分からなかったりすることに気づきます（読み終えたばかりの小説の主人公の名前を思い出せないなんてことも！）。また、自分ではわかったつもりでも、話した相手から「それってどういうこと？」と問われてうまく答えられない、ということもあります。この「うまく説明できないぞ」という感じや、「そんな疑問がありうるのか」という感覚は、結構大切なものだと思うのです。

というのも、そうした失敗や不如意に遭遇すると、私たちは「じゃあ、どうすればうまくできるだろう」と考え始めることができるからです。そして、本の内容説明の場合なら、もう一度その本に戻って、そのつもりで見直せます。また、こうしたやりとりを重ねていくうちに、やがて本を読みながら、要約したり、自分でもツッコミを入れたりしながら読むことが習慣になったりもします。つまり、本をよりよく理解する読み方ができるようになるわけです。

思えば私たちも、長年そんな対話を重ねながら本を読んできたのでした。本書にまとめた対談は、それを実践してみた結果のレポートでもあります。

これはついでながらの宣伝ですが、同じようにして二人の対談でつくった本に『その悩み、エピクテトスなら、こう言うね。――古代ローマの大賢人の教え』(筑摩書房)があります。古代ローマ時代の哲学者、エピクテトスの教えを頭の片隅に置いておくと、日々なにかと遭遇する問題に対処しやすくなる。というのは、私たちは二人とも、長年、エピクテトスの『人生談義』(鹿野治助訳、岩波文庫/現在は國方栄二訳の新訳版が出ています)に親しみながら、ことあるごとにこれについて話しあってきたのでした。その教えのエッセンスや、現代社会にあわせてヴァージョンアップするにはどう考えたらよいか、ということを二人の対談によってつくった本です。本書とあわせてお読みいただければ幸いです。

*

謝辞を述べたいと思います。本とは、著者だけでできるものではなく、さまざまな人たちの力を合わせてつくられるものです。バンドのメンバー紹介ではありませんが、以下のみなさんに感謝申しあげます。

まず、冒頭にも述べた「ゲンロンβ」で連載の機会を与えてくださった東浩紀さん、編集の実務を担当してくださった、上田洋子さん、徳久倫康さん、富久田朋子さん、神野鷹彦さん、川喜田陽さんに感謝します。書籍化についてもご快諾いただきました。

また、本の雑誌社の高野夏奈さんの企画・編集のおかげでこのような形になりました。表紙のイラストは、ワタナベケンイチさんによるものです。ワタナベさんには、私たちの共著『心脳問題』（朝日出版社）、その新版『脳がわかれば心がわかるか』（太田出版）でもイラストを担当してもらっています。ブックデザインは有山達也さんです。やはり『心脳問題』以来、何冊もの本でお世話になっています。著者たちの似顔絵を使った表紙（と背も！）は、いささか気恥ずかしくもありますが、当人たちはともかくとして、本としてはカジュアルでありながら、どこか地に足がついて落ち着いた味わいに仕上げていただきました。

一冊の本がつくられ、みなさんのお手元に届く過程を振り返れば、このリストは、本の雑誌社、印刷所、取次、書店と、さらに続くべきものです。ここでは詳しく述べませんが、そうしたさまざまなご協力によってできあがっていることを忘れないようにしたいと思います。ありがとうございました。

最後に、もう一つお知らせをして終わりましょう。二〇二〇年の一月から、YouTubeチャンネル「哲学の劇場」を開設して動画を配信しています（https://www.youtube.com/tetsugeki）。人文系情報チャンネルとして、新刊や推薦図書の紹介、イベント案内、ゲストトーク、視聴者からのリクエストへの回答（お悩み相談など）などを、二人の対談でお送りしています。最近では週に一度、金曜日の夕方に新しい動画を公開していますので、ぜひご覧くださいませ。

ではまた、どこかでお目にかかれるのを楽しみにしています。ご機嫌よう。

二〇二〇年一二月三一日

山本貴光＋吉川浩満

|ま|

|や|

|ら|

|た|

|な|

|は|

キーワード

|ま|

|や|

|ら|

|わ|

|た|

|な|

|は|

人名

|あ|

|か|

|さ|

|や|

|ら|

|わ|

|な|

|は|

|ま|

|さ|

|た|

タイトル索引

|あ|

|か|

初出

1〜20
ゲンロン刊「ゲンロンβ」
2号（2016年5月）〜27号（2018年7月）

青春の読書篇
書き下ろし

山本 貴光　やまもと たかみつ

1971年生まれ。文筆家、ゲーム作家。慶應義塾大学環境情報学部卒業。著書に『コンピュータのひみつ』（朝日出版社）『文体の科学』（新潮社）『「百学連環」を読む』（三省堂）『文学問題（F＋f）＋』（幻戯書房）『マルジナリアでつかまえて』（本の雑誌社）『記憶のデザイン』（筑摩書房）など。

吉川 浩満　よしかわ ひろみつ

1972年生まれ。文筆家、編集者。慶應義塾大学総合政策学部卒業。国書刊行会、ヤフーを経て、現職。著書に『理不尽な進化』（朝日出版社）『人間の解剖はサルの解剖のための鍵である』（河出書房新社）など。

山本と吉川の共著に『その悩み、エピクテトスなら、こう言うね。』『問題がモンダイなのだ』（共に筑摩書房）『脳がわかれば心がわかるか』（太田出版）、共訳に『先史学者プラトン』（朝日出版社）『M・iND 心の哲学』（ちくま学芸文庫）。

■「哲学の劇場」主宰。http://logico-philosophicus.net/

■2020年1月より動画配信を開始。https://youtube.com/c/tetsugeki

装幀
有山達也
装画
ワタナベケンイチ
本文レイアウト
松本孝一（inuuniq）

人文的、あまりに人文的

古代ローマからマルチバースまでブックガイド20講＋α

２０２１年１月22日 初版第１刷発行

著者　山本貴光　吉川浩満

発行人　浜本 茂
発行所　株式会社 本の雑誌社
〒１０１-００５１
東京都千代田区神田神保町１-37 友田三和ビル
電話　０３（３２９５）１０７１
振替　００１５０-３-５０３７８

印刷　モリモト印刷株式会社

定価はカバーに表示してあります
ISBN978-4-86011-451-0　C0010